OS TEXTÍCULOS DE ARY TOLEDO

"A ANARQUIA DA FILOSOFIA"

2ª reimpressão - junho/2011

OS TEXTÍCULOS DE ARY TOLEDO

"A ANARQUIA DA FILOSOFIA"

SÃO PAULO 2010

Copyright © 2010 Ary Toledo

PRODUÇÃO EDITORIAL Equipe Novo Século
ILUSTRAÇÃO CAPA E CHARGE Carlinhos Müller
COMPOSIÇÃO CAPA Diego Cortez
DIAGRAMAÇÃO Diego Cortez
REVISÃO Salete Milanesi

Dados Internacionais de Catalogação na Publicação (CIP)
(Câmara Brasileira do Livro, SP, Brasil)

Toledo, Ary
　Os textículos de Ary Toledo : a anarquia da filosofia / Ary Toledo. --
Osasco, SP : Novo Século Editora, 2010.

1. Humorismo brasileiro I. Título.

10-07616　　　　　　　　　　　　　　　　　　　　　　　CDD-869.975

Índices para catálogo sistemático:

1. Humorismo : Literatura brasileira 869.975

2010
IMPRESSO NO BRASIL
PRINTED IN BRAZIL
DIREITOS CEDIDOS PARA ESTA EDIÇÃO À
NOVO SÉCULO EDITORA.
Rua Aurora Soares Barbosa, 405 – 2º andar
CEP 06023-010 – Osasco – SP
Tel.: (11) 3699-7107 – Fax: (11) 3699-7323
www.novoseculo.com.br
atendimento@novoseculo.com.br

AGRADECIMENTO

Agradeço a todas as pessoas que colaborarem comigo.

SUGESTÃO

Compre este livro, você não vai se arrepender.
A crítica gostou, mas "é bom"!

PREFÁCIO

Meu livro não tem prefácio,
porque detesto mesmice. Podem observar:
todo "prefacista" só fala bem do autor.

UTILIDADE

Adquira este livro, que ele tem alguma utilidade.
Se não gostar, vai servir ao menos
para calçar a perna da sua escrivaninha.

ARY POR ARY

Eu não sou apenas um contador de piadas. Eu sou também um contador de histórias, anedotas, causos, sagas, lendagens, frescuras, sacanagens, pinimbas, pampeiros, fuzuês, ribombós, tréquétrés, zabulits, rebordoses, traulitadas, palhaçadas, chalaças, graçolas, gags, ditados, potins, tolices, farsas, dichotes, calembures, triquestroques, racha-cocos, gaiatices, burletices, bazófias, fanfarronadas, gaseonadas, rompantes, prosápias, papos, bafos de boca, bravatas, louvaminhas, lorotas, papiamentos, picardias, chibantes, alardeios, bobices, tolices, pincarices, vantagens, pensamentos, filosofices, gabolices, jactâncias, vulgarisses, zombarias, motejos, caçoarias...

Ary Toledo

ACREDITE

Escrever este livro foi **difícil**, mas penso que **não** escrevê-lo seria muito **mais difícil ainda**.

SUGESTÃO

Dê este livro de presente para sua sogra. Garanto que ela vai

morrer... de tanto rir!

DOAÇÃO

Toda a renda deste livro será doada prazerosamente à FAAT – Fundo de Amparo ao Ary Toledo

AVISO

Algumas citações deste livro certamente
NÃO SERÃO compreendidas por alguns leitores.
Mas, aí, já NÃO É PROBLEMA MEU.
É do Ministério da Educação.

ATENÇÃO

Mantenha este livro fora do alcance das crianças.
Material altamente contagiante.

AVISO

O Ministério da Saúde adverte:
falar mal do autor deste livro
provoca sérios danos à sua saúde!

SEMELHANÇA

> Meu livro não é prolixo,
> para não ser pro lixo.

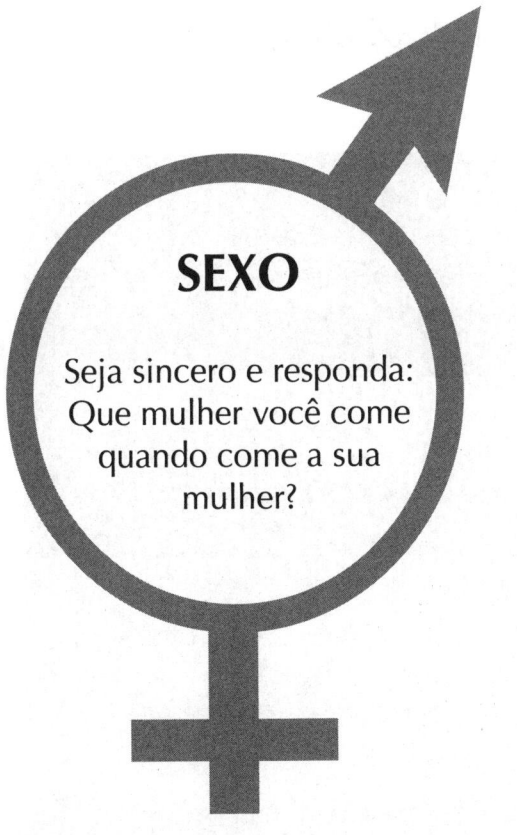

SEXO

Seja sincero e responda:
Que mulher você come
quando come a sua
mulher?

AVISO

Quem passa por mim e finge que não me vê... **vai se fudê!**

CASAMENTO

Uma trepada... duas trepadas... três trepadas... quatro trepadas... três trepadas... duas trepadas... uma trepada... zero trepada!

AVISO

(Nos ônibus, em diversos países)
Brasil:
É proibido falar com o motorista
Portugal:
Rogamos não falar com o motorista
Espanha:
É terminantemente proibido falar com o motorista
Itália:
Jamais fale com o motorista
Israel:
O que você ganha falando com o motorista?
Etiópia:
Favor não comer o motorista

TELEVISÃO

O chato da TV é que quando você começa a gostar dos comerciais, eles metem um programa em cima.

INGRATIDÃO

Nós homens somos mesmo ingratos. Levamos nossa mulher às festas, ao cinema, ao teatro, mas nunca a levamos a esse tal de orgasmo.

LOIRANTA

Coitada da loiranta.
Foi tratar da catarata com acupuntura e ficou cega.

MORTE

Quando morrer não quero sentir dor,
quero morrer que nem o meu avô:
"DORMINDO".
E não gritando como os passageiros
do ônibus que ele estava dirigindo.

BOLSA DE MULHER

É que nem buceta larga,
vai se enfiando tudo.

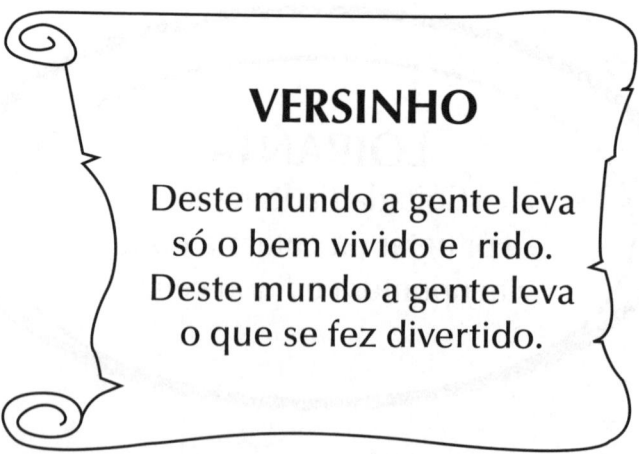

VERSINHO

Deste mundo a gente leva
só o bem vivido e rido.
Deste mundo a gente leva
o que se fez divertido.

HOMOSSEXUALISMO

Não tenho nada contra o homossexualismo, acho que um homem pode amar outro homem. Agora, precisa botar o cu na jogada?

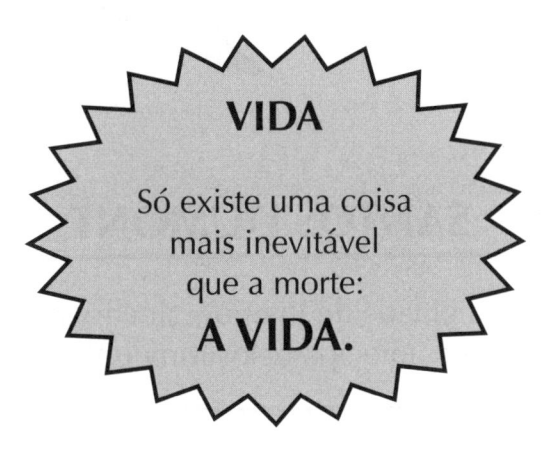

VIDA

Só existe uma coisa mais inevitável que a morte:
A VIDA.

PATRIOTISMO

Se tivéssemos pelo nosso país a mesma brasilidade que temos pela nossa seleção, o Brasil seria diferente.

AÇÚCAR

O açúcar é uma substância que dá no café um amargo filho-da-puta quando a gente não põe.

SANTOS DUMONT

Pequena cidade do interior mineiro, até hoje não reconhecida pelos irmãos Wright.

POESIA PROFUNDA

Subi naquele coqueiro
pra ver meu amor passar,
não vi... desci!

VERSOGRAFIA

A minha sogra é um anjo,
disse a Maria pra Diva,
que respondeu: Tu tem sorte!
A minha ainda está viva.

PERDOAR

O verdadeiro sentido do perdão
está na rosa que perfuma a
tesoura que a corta.

DÚVIDA

Clítoris ou clitóris?
Ah... se me perguntassem ontem
à noite, tava na ponta da língua!

DEUS

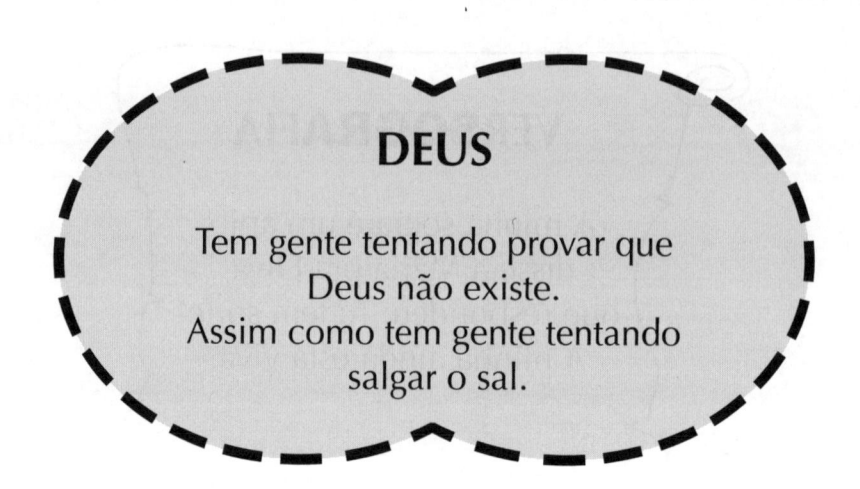

Tem gente tentando provar que Deus não existe.
Assim como tem gente tentando salgar o sal.

IMITADOR

Quem é mais idiota?
O jumento ou quem **IMITA** o jumento?

VERSINHO

Mamãe eu vi um bicho
um bicho de um olho só
meu filho não era um bicho
era o cu da sua avó.

ANÚNCIO

Vendo lindo cão pitbull.
Ou troco por mão ortopédica.

NAMORADO

Somente a garota de um traficante
pode dizer orgulhosa:
– Meu namorado é de fechar o comércio.

SOFRIMENTO

Aquela mulher realmente sofria demais.
O marido a tratava como um cão!
Queria que ela fosse fiel.

RESPONDA DEPRESSA

Cheiro-verde é uma verdura, ou o peido do Hulk?

CIGARRO

Não é verdade que o cigarro faz mal à saúde. Meu avô fumava cinco maços por dia e viveu até os trinta e oito anos.

TOP MODEL

Aquela top model era tão magra que tomava banho com as pernas abertas para não ir embora pelo ralo.

SOU A FAVOR

Sou totalmente a favor do homossexualismo, desde que o cu não seja o meu!

MÃE

Mãe palavra mais pura
mãe palavra mais bela
que nem mesmo os poetas
encontram rima pra ela.

PERERECA

Apelido carinhoso do aparelho genital feminino até os 12 anos, depois disso, nasce pelo e vira **BUCETA.**

PERGUNTINHA

Por que os cachorros são
vacinados contra raiva
se são os homens
quem fazem a guerra?

MÃE

A mulher pensar que para ser mãe
basta ter um filho
é tão absurdo quanto alguém pensar
que para ser violinista basta ter um violino.

VERSINHO

Lambari é que nem cu
eu explico por que
é ruim pra limpar
Mas bom pra comer!

LOIRANTA

É como dizia a loiranta para a morena:
— Eu não sabia que o Luiz era mudo, ele nunca me disse nada!

VELHO DITADO

Passarinho que come pedra sabe o cu que tem.

RACISMO

Racista mesmo foi o americano que entrou numa uisqueria no Alabama e pediu um Black White em copos separados.

AVAREZA

Viver fodido com medo de se foder!

TRÂNSITO

No trânsito devemos ter cuidado com as mulheres. Às vezes elas dão sinal que
vão entrar à direita e entram mesmo!

MACHISMO

Lá em casa a última palavra é a minha, quem manda sou eu. Ontem por exemplo, minha mulher queria ir ao cinema e eu ao futebol. E sabe o que mais? NÃO GOSTEI DO FILME!

EPITÁFIO

Do hipocondríaco:
"Eu falava... eu falava".

SEMELHANÇA

A semelhança entre a mulher grávida
e o bolo queimado é simples:
se tirasse um pouquinho antes,
nada disso teria acontecido.

Nunca converso comigo mesmo...
sou muito mentiroso!

ANÚNCIO

Vendo Harley Davidson batida ou troco por cadeira de rodas

ANÚNCIO

Santo cassado vende lindo cavalo branco. Procurar JORGE.

Passarinho que vai atrás de morcego dorme de cabeça pra baixo.

CINCO COISAS QUE EXISTEM, MAS A GENTE NÃO VÊ:

Enterro de anão
Ex-viado
Japonesa de bunda grande
Fotografia de sogra na carteira
Filho de puta chamado Júnior

LEÃO

Sou um leonino muito calmo,
mas numa briga não tenho meio-termo,
é mato ou morro...
"fujo pro mato ou fujo pro morro"!

ANIMAIS

Dos animais domésticos que eu mais gosto, não é o pato, nem o cachorro, nem o gato... é o frango com ervilhas.

ÚLTIMO DESEJO

Quando perguntaram ao Sadam qual seria o seu último desejo antes de morrer, ele respondeu:
– Me naturalizar americano, porque assim seria mais um americano morto no Iraque.

VIOLÊNCIA

Historicamente a violência tem diminuído muito. Por exemplo, na época de Caim e Abel a metade da população era criminosa.

ANÚNCIO

Lavrador, 30 anos, 1.80 m, moreno, honesto, trabalhador, deseja casar com mulher proprietária de um trator. Agradece foto do trator.

ESPERANÇA

A esperança é uma linda menina, que só nos atende quando aliada ao trabalho. Ela não sabe fazer nada sozinha.

SAUDADE

Saudade é que nem puta. É uma coisa que dá e depois vai embora.

SIGNIFICADO DO VIAGRA:

Velhinhos
Impotentes
Agora
Gozam
Rindo
À toa

FUTEBOL

Às vezes sinto vontade de ir ao estádio. Mas aí eu fico pensando: fila, trânsito, briga... e depois também a minha mulher
não me deixa sair aos domingos!

EDUCAÇÃO

Era tão educado que toda vez que a esposa gritava com ele ia reclamar com o síndico

FUTURO

Como dizia a cartomante ao cliente:
– Seu futuro está traçado, você vai ser traçado no futuro!

JÁ

Já que a corrupção
virou cleptomania

Já que a justiça
continua cega, surda e muda

Já que está
consagrada a impunidade

O melhor a fazer é

Devolver isto aqui pros índios

Pedir desculpa pelo estrago

e mandar o Cabral descobrir
a puta que pariu!!!

LIBERDADE DE PENSAMENTO

Vou morrer proclamando a liberdade de pensamento e foda-se quem não pensar como eu!

O LADO BOM

Pense nas coisas boas. Se a vida lhe deu um limão, pegue mais dois e vá fazer malabarismo no farol.

ESPERA

Foi ao salão cortar o cabelo... e esperou tanto que teve de fazer a barba também

CANTORES

No Brasil, toda vez que morre um cantor famoso as rádios tocam durante muito tempo suas músicas. Tomara que o Falcão não morra nunca!

PALPITE

Não quero mais ver as pessoas metendo o nariz naquilo que eu faço. Por isso, vou vender minha fábrica de lenços.

CONSERVADA

Mulher bem conservada era aquela. Estava tão feia como há 30 anos.

METABOLISMO

Realmente o corpo humano é uma máquina perfeita. Conheço um velhinho que tem o organismo funcionando como um relógio suíço: às cinco ele mija, às seis ele caga e às sete ele acorda!

JORNALISTA ESPORTIVO

O jornalista esportivo é um profissional que no sábado diz com certeza qual o time que vai ganhar, e na segunda, com a mesma certeza, explica por que o time perdeu!

TRÂNSITO

Não levante o dedo médio para a pessoa que lhe deu uma fechada. Lembre-se, um dia alguém já mandou você também ir **TOMAR NO CU.**

VELHO DITADO

Pior do que uma pedra no sapato é um grão de areia na camisinha.

ÁLCOOL

Alcoólatra de verdade foi aquele cara que
era fã de São Jorge, porque matou o bicho;
de Joana D´Arc, porque morreu no fogo;
só andava em trânsito engarrafado;
vivia entrando em cana;
só comprava carro a álcool;
brincava de cavalinho;
trabalhou em 3 fazendas;
criava em casa uma oncinha;
casou com uma caipirinha,
filha do velho barreiro e
morreu ao 51
lá em Pirassununga.

POLÍCIA FEMININA

Admiro demais as policiais femininas. Pena que elas não possam engravidar, porque são "soldadas".

AS TRÊS COISAS QUE A MULHER FAZ E O HOMEM NÃO

Discutir sem ter razão
Trepar sem ter tesão e
Mijar sem pôr a mão

GRAMOFONE

Você sabia que o gramofone foi a primeira máquina falante, inventada há muitos anos, com uma costela de Adão?

ARY

Palavra de origem "divina".
Significa: eleito pelos deuses, sábio, gênio, estupendo, virtuoso, magnânimo e SOBRETUDO MODESTO
etc. etc. etc.!

MÉDICO

E quando o paciente perguntou quanto tempo de vida ele tinha, o médico respondeu:
– Conte comigo 10... 9... 8... 7... 6............

Todo homem tem seu preço, mas muitos ainda são encontrados nas lojas de R$ 1,99.

GAGUEIRA

Quando perguntaram ao gaguinho por que se casou com mulher feia, a resposta foi na bucha:
– Amor... Amor... Amor... A morfética engravidou!

GOLEIRO

O bom goleiro é igual a filho de político: Está sempre bem colocado!

VERDADE

Quando o proctologista diz que é ginecologista, está provando que a mentira às vezes está bem perto da verdade.

ANÚNCIO

Domador de cavalos vende puro sangue, preto, dois anos de idade, ainda não domado. Ou troca-se por colete ortopédico.

REENCARNAÇÃO

Se você acredita na reencarnação... me empresta cinco mil reais, que na outra vida eu te pago!

LOIRANTA
É como dizia a loiranta:
"O mundo vai acabar, mas ficará na memória do povo para sempre!"

CORRUPÇÃO

Aquele político era tão corrupto que, quando nasceu, recebeu vinte palmadinhas na bundinha. Três para chorar e dezessete para largar o relógio do médico.

ATOR

Ser um ator canastrão não é nada fácil...
É preciso muita falta de talento.

TOSSE

E aí a mulher disse ao marido:
— Fernando, pare de bater nas costas da mamãe que ela já parou de tossir.

VERSOGRAFIA

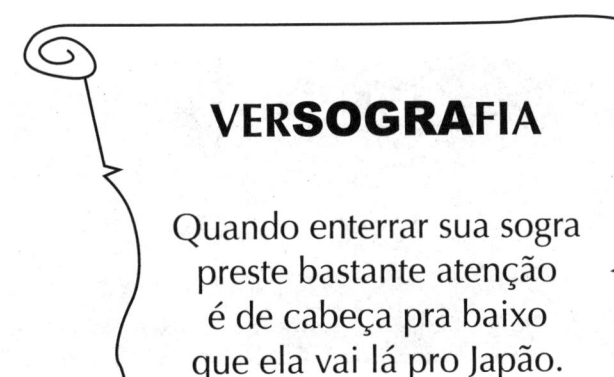

Quando enterrar sua sogra
preste bastante atenção
é de cabeça pra baixo
que ela vai lá pro Japão.

GALILEU

Quando o Galileu Galilei afirmou que a
Terra girava, ele estava muito atrasado.
Antes disso, os bêbados já
tinham descoberto!

IRRESPONSABILIDADE

A Marly Marley é uma irresponsável...
onde já se viu casar comigo?

ANÚNCIO

Vendo linda onça-pintada, criada em casa, por preço de ocasião. Os interessados devem procurar o proprietário, Sr. José Maneta.

POLÍTICO

Aquele político era tão corrupto que seu prato preferido era: Robalo com Furtos do Mar.

VERSINHO

Deixou de ser prostituta
a puta da Margarida
deixou a vida de puta
e foi pra puta da vida.

ANÚNCIO

(Na vitrine da ótica)
Se você não vê o que procura...
é esta loja que você procura.

LOIRANTA

Quando perguntaram pra loiranta
pra qual time ela torcia,
ela lascou: — Ah, meu amigo,
sou fla-flu roxa!

BODAS DE PRATA

Quando completei 25 anos de casado,
levei minha mulher para o Japão.
Quando completar 50, vou buscá-la!

DESCOBERTA

A gostosa quis saber onde o marido passava as tardes e descobriu. Resolveu ficar uma tarde em casa e o marido tava lá!

NASCIMENTO

Quando o menino disse ao professor que tinha **NASCIDO PELO CU**, recebeu oito por aproximação.

LOIRANTA

Quando a loiranta perguntou ao professor o que era o "nada" a resposta foi imediata:
"o nada é uma coisa que está no lugar onde deveriam estar os seus miolos".

BAZAR DO ARY

Neste estabelecimento moderno e de luxo, encontram-se publicamente expostas as mais lindas e confortáveis botas baixas, altas e apertadas também, por preço de ocasião. Sapatos de verniz e camurça de últimos modelos. Piteiras americanas, bonitas e elegantes, finas e especialmente para fumar em salões, bares e cafés elegantes. Estamos à vender a partir de R$ 100,00. Nossa especialidade é exclusiva em cuecas, camisetas e blusões em tamanhos variados para o corpo de mocinhas e rapazes a partir de 14 anos, a R$ 200,00. Puxadores, travessas nacionais e estrangeiras. Jogos de montaria completa, por diversos preços. Temos lindos canivetes, artigos de papelaria, canetas, cartolinas, baralhos de diversos tipos, tamanhos e cores, bem como várias buzinas, apitos, casacos de lã e raposa. Cadeados, trancas e trancetas especiais, chegadas diretamente de Paris.

Obs.: Se você chegou ao final deste anúncio e não se interessou por nenhum destes artigos, releia-o lendo uma linha "sim" e uma "não".

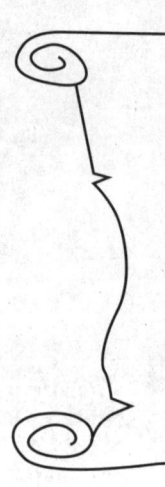

VERSOGRAFIA

E o genro disse pra sogra
já perdendo a paciência
eu estou sentindo muito
a falta da sua ausência.

DITADURA

Estilo de regime em que tudo o
que não for proibido é obrigatório!

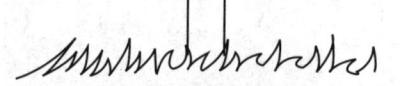

AVISO
(Na traseira do carro fúnebre)

"Dirija com cuidado, o próximo
carregamento poderá ser o seu".

VELHO DITADO

Com calma e com camisinha
se come o cu da vizinha.

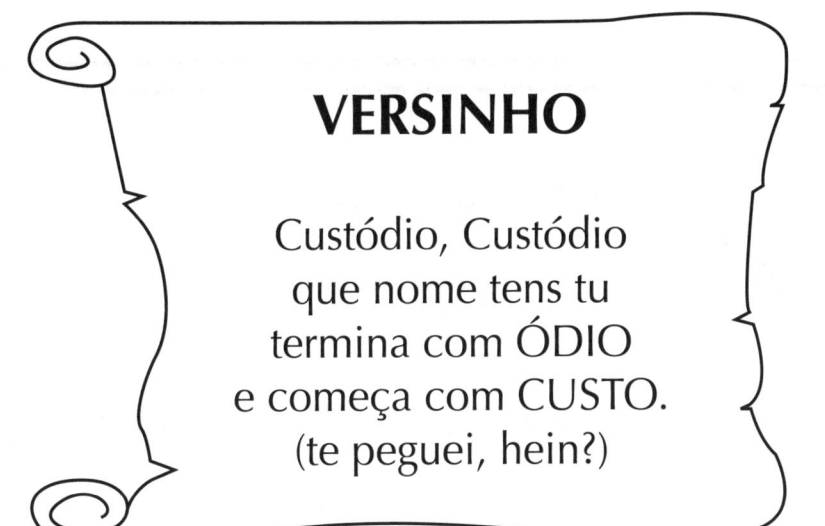

VERSINHO

Custódio, Custódio
que nome tens tu
termina com ÓDIO
e começa com CUSTO.
(te peguei, hein?)

APROXIMAÇÃO

O homem está fazendo de tudo para se aproximar de Marte, mas não está fazendo nada para se aproximar de Deus.

PERGUNTINHA

Se "cu", que só tem duas letras é considerado palavrão, então **"pneumoultramicroscopicossilicovulcanoconiótico"** é considerado o quê?

GENTE

O cachorro não é um bicho. É um outro tipo de gente melhor que nós!

Se você não tem pontaria sente-se!

INCOERÊNCIA FEMININA

Toda noite fazia sexo oral
no marido, e depois batia no
filho porque ele chupava o "dedo".

DILÚVIO

Em sendo a arca de madeira
Noé não teria cometido uma imprudência
levando um casal de pica-pau
e um casal de cupim?

VERSINHO

Pedro Álvares Cabral
quando chegou na Bahia
já comeu uma baiana
logo no primeiro dia.

GINECOLOGISTA

Em Portugal é mais conhecido como: "Espião da casa do caralho".

APELIDO

Por ser muito grande, apelidou o pau do marido de **"telescópio"**. Toda vez que fazia sexo anal com ele, ela via estrelas!

ORAÇÃO DA SOLTEIRA

Nada vos peço para mim, Senhor.
Peço apenas para a minha mãe:
um genro bonito, rico e inteligente... Amém!

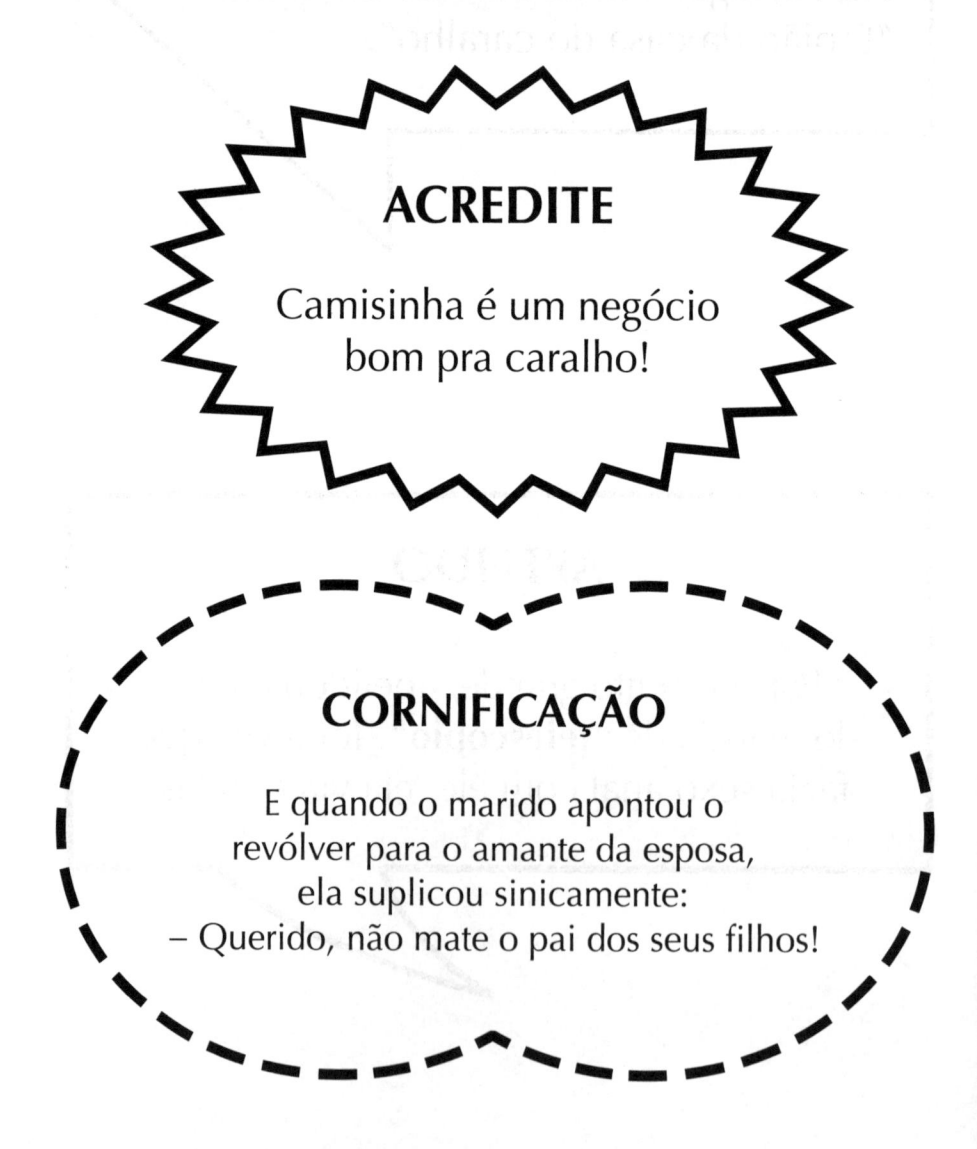

ACREDITE

Camisinha é um negócio bom pra caralho!

CORNIFICAÇÃO

E quando o marido apontou o revólver para o amante da esposa, ela suplicou sinicamente:
– Querido, não mate o pai dos seus filhos!

GRANDES FEITOS

O homem só entra pra história depois de um grande feito ou uma grande cagada. Lembremos por exemplo, do nosso querido Cabral, que em 1500 descobriu o Brasil. Agora um exemplo de um grande feito... não estou me lembrando!

DISCRIMINAÇÃO

Racismo?
No Brasil não existe esse tipo de Pretonceito!

PERGUNTINHA

Quem tem uma fábrica de sabão... tem um negócio limpo?

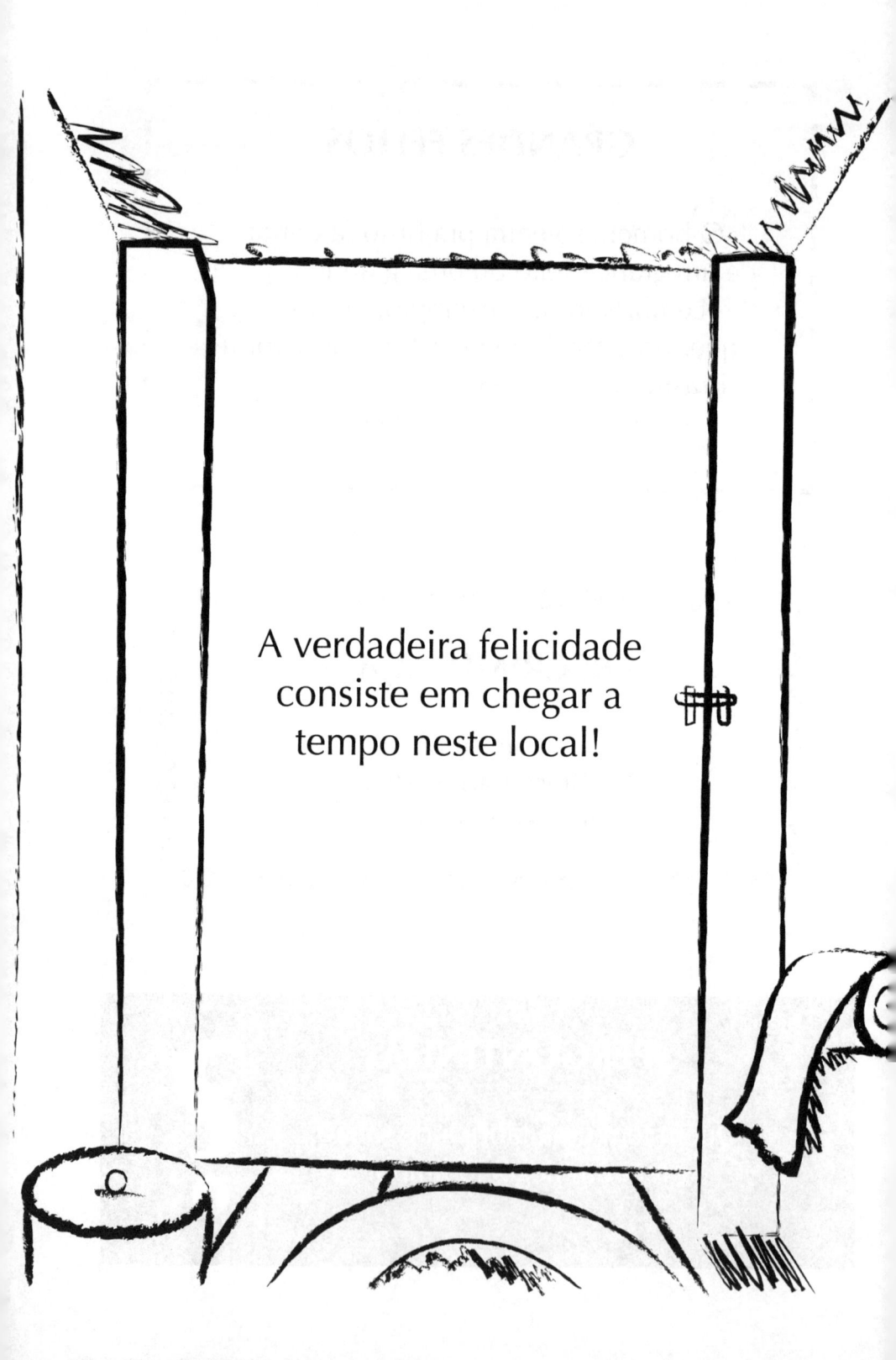

A verdadeira felicidade consiste em chegar a tempo neste local!

DIABETE

Tinha tanto medo de diabetes
que vendeu até a flauta doce.

ANJO

Todo anjo tem que ser bom.
Senão, quando ele morrer,
vem direto pra Terra!

NOME

Aquele rapaz odiava o seu nome, também
pudera ele se chamava "ADOLFODIAS"

VER**SOGRA**FIA

Minha sogra me quer bem
porque bom genro arranjou
até de filho me chama
só não diz que filho eu sou.

FANATISMO

Era tão viado que não podia ver
um homem bonito que já ficava
de cu duro.

COPIAR

Nada se cria, tudo se copia. De quem será que o Chacrinha copiou essa frase?

GENITÁLIA

A genitália por acaso é o órgão reprodutor dos italianos?

TESÃO

Toda vez que vou para a cama com minha mulher, deixo-a louca: escondo o controle remoto dela.

FILHO

Fazer um filho é fácil.
DIFÍCIL É FAZER UM HOMEM!

ÂNUS

Substantivo masculino, chulo, vulgar, expressão de baixo calão, hipocritamente usada pelos médicos, farmacêuticos e falsos puritanos. A palavra correta é: Cu!

VERSINHO

Aquela galinha era mesmo
uma galinha de fato
aprendeu até a nadar
só pra trepar com o pato.

VERSOGRAFIA

E no velório da sogra
pensava o genro sofrido
se ela for para o inferno
o diabo tá fodido!

PERGUNTINHA

Por que no imposto de renda quem
não tem nada a declarar é obrigado
a declarar que não tem nada a declarar?

LAMENTO

"Por que me abandonaste, por que
fizeste isso comigo, por que foste
embora tão cedo?", dizia aquele senhor
chorando ao lado do túmulo do
primeiro marido de sua mulher!

AVISO

O Ministério da Saúde adverte:
Tomar dinheiro emprestado
provoca amnésia.

HERANÇA

Quando um pai milionário morre
e deixa tudo para o filho único,
os dois passam dessa vida para uma melhor!

VELHO DITADO

A primeira amnésia a gente nunca esquece!

CONSELHO AÉREO

Procure sempre viajar em avião que tenha pilotos inexperientes. Lembre-se: em 99% dos acidentes o piloto era muito experiente.

NÃO CONFUNDIR

"Acuda mamãe" com o "cu da mamãe".

Deu a descarga com força
O trocinho estremeceu
Deu uma voltinha e depois
Cumprimentou e desceu.

ANÚNCIO

V ndo, por pr ço sp cial, máquina d scr v r Oliv ti, faltando uma t cla.

REMORSO

O curinga dos pecados.

BOLETIM

Quando o pai pediu ao filho o seu boletim, ele respondeu:
– Não está comigo, emprestei para o meu amigo dar um susto no pai dele!

RACISMO

Até os bichos são racistas. Exemplo: a galinha preta põe ovos brancos, mas a galinha branca não põe ovos pretos!

CONFLITO

O verdadeiro conflito emocional é você ver sua sogra, no volante do seu carro novinho, dando marcha ré em direção ao precipício.

O lápis preto pode ser chamado de "lápis de cor"?

GOL

Se o gol é o orgasmo do futebol, com certeza a bola na trave é a punheta.

SINCERIDADE

Nada neste mundo é mais sincero que o ódio!

SECRETÁRIA

Era realmente uma secretária eficiente, quando o patrão pedia pra ela bater uma punheta pra ele, ela batia em duas vias.

LOIRANTA

É como dizia a loiranta: "Sou totalmente favorável à pena de morte, mas só depois que o condenado cumprir a prisão perpétua."

COBRANÇA

Foi cobrar o cara tantas vezes que, quando recebeu, teve que trocar os pneus do carro.

HUMILDADE

A incapacidade de aceitação de ser o melhor.

VER**SOGRA**FIA

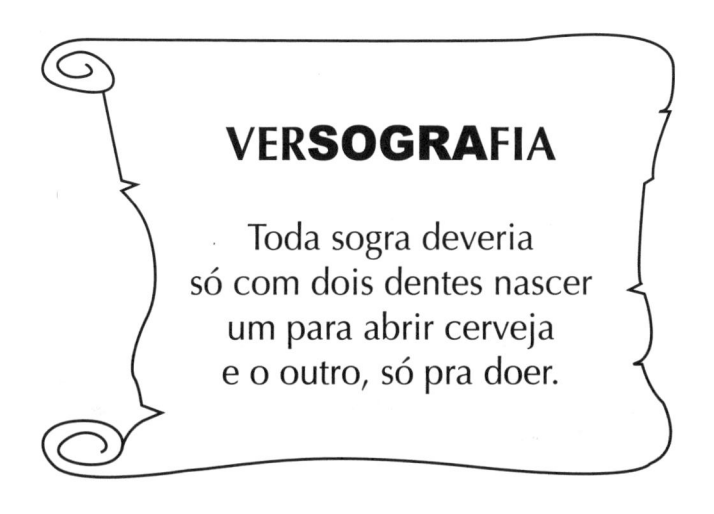

Toda sogra deveria
só com dois dentes nascer
um para abrir cerveja
e o outro, só pra doer.

MÉDICO

O paliativo da morte.

LUA DE MEL

O cartão amarelo do
jogo do casamento.

CONSTATAÇÃO

E quando a xoxota falou no telefone para a outra que ela estava magrinha, deprimida e não gozava mais, a outra respondeu: – Pois é, minha querida, são as más línguas.

AVISO

Neste bar é tudo à vista, não tem nem conversa fiada!

MÃE

Mãe de verdade é aquela que vê o seu bebê chorando, com o nariz escorrendo, todo mijado, cagado, e ainda o chama de fofura!

TELEVISÃO

Tenho pena das pessoas que não têm TV a cabo. Ficam totalmente desarmadas para enfrentar os ataques dos canais abertos.

FILATELISTA

Um idiota que vive colecionando cuspe internacional.

BÍBLIA

A BÍBLIA É UM LIVRO TÃO INTERESSANTE QUE ATÉ OS PADRES ESTÃO COMEÇANDO A LER!

SEPARAÇÃO

Separou-se do marido por compatibilidade:
Ela gostava de cinema, ele também.
Ela gostava de praia, ele também.
Ela gostava de teatro, ele também.
Ela gostava de homem, ELE TAMBÉM.

CHIFRE

É como gripe: difícil de esconder e duro de curar

GÊNIOS

Os gênios estão morrendo. Picasso, Chaplin, Elis, Tom Jobim, Frank Sinatra, Senna. Eu mesmo ultimamente não venho me sentindo muito bem.

PRÓSTATA

Ontem fiz meu primeiro exame de próstata, mas fui logo avisando ao médico: "Doutor, enfia o dedo com muito cuidado, bem devagarinho, como se estivesse enfiando no cu da sua mãe".

SEGREDO

O que Jesus fez dos 12 aos 33 anos só Deus sabe.

MAIS CINCO COISAS QUE EXISTEM, MAS A GENTE NÃO VÊ:

Papel higiênico em banheiro de estádio
Pesquisador do IBOPE na casa da gente
Cabeça de bacalhau
Santo de óculos
Ateu em pane de avião

PUNHETA

PUNHETA É QUE NEM CARRO VELHO. BATEU, NÃO LEVANTA MAIS.

AMOR

Casamento é para o amor
o que a motosserra é
para a árvore!

VELHO DITADO

Gato que levou tijolada não passa perto de olaria.

OTIMISTA

Otimista de verdade é o cara que põe no seu Fiat 147 a mulher, a sogra, o cunhado, os filhos, a tia, a avó, o cachorro, o papagaio e diz pro vizinho:
– Eita feriadão legal que eu vou ter neste fim de semana!

PERGUNTINHA

Por acaso website é o site da Hebe?

ANÚNCIO

Vendo revólver Taurus, cano longo, 38, todo cromado, por qualquer preço. Motivo: Discuto muito com a sogra!

CASAMENTO

Fui casado por um juiz.
Devia ter alegado inocência.

NÃO CONFUNDIR

"Interpretando mal" com
"em pé trepando mal"!

OTIMISMO

Otimista de verdade foi aquele cara duro, que entrou no restaurante, pediu ostra pensando em pagar a conta com a pérola que ia encontrar dentro dela.

CASCÃO E CEBOLINHA

Quando o cascão perguntou ao cebolinha se ele já tinha comido acelga, ele respondeu:
– Já comi acelga, a mulda e a sulda!

PORNOGRAFIA

O filme era tão pornográfico que o ator chupava o umbigo da garota... por dentro!

VIDA

A distância entre o obstetra e o coveiro.

69

Um número que ninguém esquece, exceto o analfabeto sexual.

VERSINHO

O pobre é muito azarado
azarado pra chuchu
quando merda for dinheiro
o pobre nasce sem cu.

EGOÍSMO

É no trânsito que revelamos o nosso egoísmo. Somos incapazes de compreender que o sinal não fechou pra nós, apenas abriu para os outros que estavam esperando.

MEU EPITÁFIO

Pode ir andando que eu não vou contar piada pra ninguém.

AVISO
(Na porta da boate)

"Proibida a entrada de menor, exceto quando acompanhado de dinheiro".

MAIS CINCO COISAS QUE EXISTEM MAS A GENTE NÃO VÊ:

Pacotinho de catchup que abra fácil
Revista nova em sala de espera
Mulher virgem com 15 anos
Táxi livre em dia de chuva
Ronaldinho Gaúcho de boca fechada

EREÇÃO

Meu amigo, toda vez que olha para o espelho, fica de pau duro. Lógico, ele tem cara de buceta!

AMIZADE

Ficar triste com o fracasso do amigo é fácil. Difícil é ficar contente com o seu sucesso.

CRIME BÁRBARO

Por motivo fútil e sem dar qualquer chance de defesa à vítima, o baiano irritou-se e matou a lesma a pontapés, alegando que esta o seguia por toda parte, há mais de quatro horas.

VIDENTE

NÃO ACREDITO EM VIDENTE. UMA VEZ FUI CONSULTAR UMA, BATI NA PORTA E ELA PERGUNTOU QUEM ERA!

VERDADE

As pessoas só veem chover na minha horta, mas não veem o trabalho que eu tive pra empurrar a minha horta embaixo da chuva.

OUTRA VIDA

Na outra encarnação quero ser mulher, mas bem gostosa, só pra dar pro Ary Toledo.

EXIGÊNCIA

Em matéria de mulher, não sou exigente. Quero apenas que ela seja: carinhosa, educada, bonita e gostosa. Será que isso é exigir muito de uma milionária?

MORTE

Quando chegar a minha vez, quero morrer que nem rabo de vaca: duro e em cima da xereca.

IDADE

As mulheres adoram envelhecer lentamente. Conheço muitas que levaram 50 anos para chegar aos 40.

IDADE

Aquela mulher tinha tanta ruga que não tinha pé de galinha, tinha pé de chester.

Lá fora tu é valente
Lá fora tu é machão
Mas aqui nesse ambiente
Tu não passa de um cagão.

INÇINO

No Brasiu o inçino e muinto efissienti, serto, Profeçor Pascuali?

VASECTOMIA

Aquele pai era tão democrático que
para fazer uma vasectomia,
fez uma eleição em casa, pedindo aos
filhos que votassem
"sim" ou "não".
Resultado: o "sim" ganhou de 16 a 2.

VISITA

Quando estive nos Estados Unidos fui
visitar o túmulo do John Wayne,
mas não consegui... estava cheio de
índio em volta festejando!

DEMOCRACIA

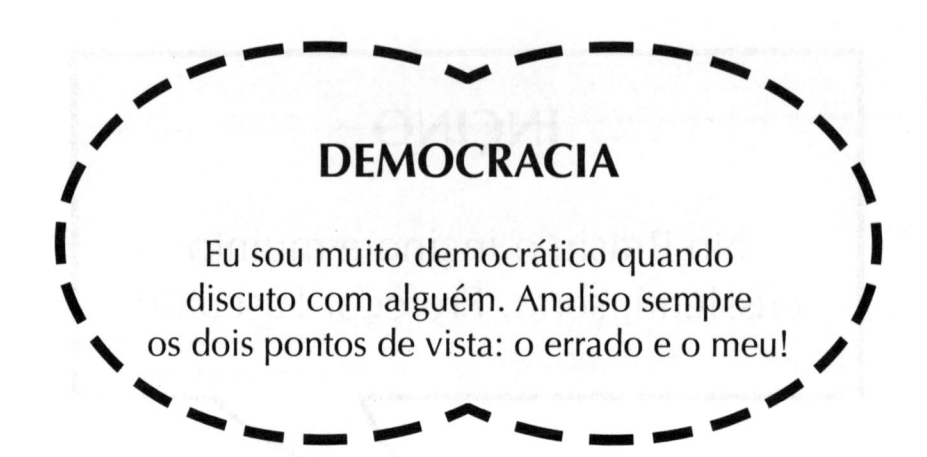

Eu sou muito democrático quando discuto com alguém. Analiso sempre os dois pontos de vista: o errado e o meu!

SALÁRIO

Todos nós sabemos qual é o salário de um político. **Só não sabemos quanto ele ganha.**

LOIRANTA

É como dizia a loiranta para o filho:
– Pode ir ver o eclipse, mas volte antes que escureça!

VERSOGRAFIA

Sogra boa existe sim
acredite meu irmão
mas somente aquelas que
estão embaixo do chão.

POSTE

Um grande cilindro de concreto
que fica muito tempo no mesmo lugar,
e de repente pula na frente de um
carro dirigido por uma mulher.

BACON

Barriga do porco defumada que
deixa a do homem deformada.

MINHAS 3 FRASES
HISTÓRICAS FAVORITAS

INDEPENDÊNCIA OU MORTE
Pedro Alcântara de Orleans e Bragança
Riacho do Ipiranga – 7 de setembro/1822.

A TERRA É AZUL
Yuri Gagarin
Espaço sideral – 12 de abril/1961.

JAPONÊS FILHO DA PUTA
General MacArthur
Pearl Harbor – 7 de dezembro/1941.

DIÁLOGO

E aí um fantasma falou pro outro: "Você acredita em gente?"

"CARA AMANTE"

Toda vez que a minha amante liga dizendo que está com saudade, resolvo o problema na hora. Vou ao banco e deposito na conta dela o valor da saudade.

AGRADECIMENTO

Depois de 30 dias fui à cadeia agradecer o ladrão que roubou o cartão de crédito da minha mulher. Ele tinha gastado menos que ela!

ACREDITE

Casamento é como peça de avião. Depois de algum tempo, sofre fadiga, vem o desgaste e tem que trocar.

CAPITALISMO E COMUNISMO

O primeiro é a exploração do homem pelo homem.
E o segundo é exatamente o contrário.

VERSINHO

Amigo verdadeiro
é aquele a quem se diz
você tem todo direito
de permanecer feliz.

NOVELA RUIM

E aí no estúdio de TV a jovem atriz perguntava pra veterana: "Querida, pra quem eu tenho que dar pra sair dessa merda de novela?".

PESCARIA

O peixe é o único animal que cresce depois de morto. Pergunte a qualquer pescador.

MAIO

Dizem que o mês de maio é favorável ao casamento. Os desfavoráveis são: junho, julho, agosto, setembro, outubro, novembro, dezembro, janeiro, fevereiro, março e abril.

RESPONDA DEPRESSA

Se sogra é coisa boa, por que inventaram o veneno?

"COCOMODISMO"

Algumas frases deste livro foram feitas no banheiro, durante uma cagada. Portanto, é natural que você considere algumas delas uma merda.

VERSINHO

O pobre é sempre azarado
este fato ninguém nega
rico pega o carro e sai
pobre sai e o carro pega!

HONESTIDADE

Político honesto foi aquele que, no dia da eleição, pensou bem e não votou nele.

ECONOMIA

O turco era tão pão-duro que chamava o filho Gaspar de "Par", só pra economizar o "Gás".

FELICIDADE FEMININA

A mulher pra ser feliz precisa ter cinco animais em casa:

Um vison no armário;
Um jaguar na garagem;
Um gato na cama;
Um camelo pra trabalhar;
E um burro pra pagar as contas.

CAMPO DE NUDISMO

Um lugar onde a gente anda, anda e ninguém vê a cara de ninguém!

ADOLESCÊNCIA

As adolescentes de hoje são muito obedientes, vão pra cama às nove porque às onze têm que estar em casa.

FLAGRANTE

O paulista, quando pega a mulher em flagrante, mata os dois; o mineiro, mata o homem; e o goiano mata a mulher e já pega o homem pra formar dupla sertaneja.

ANÚNCIO
(No túmulo do cemitério)

Aqui jaz ninguém, pois sua
mãe sempre usou as famosas
pílulas anticoncepcionais Infalíveis!

CARDÁPIO

Em restaurante de canibais, o prato
mais caro com certeza é o político corrupto.
Já imaginaram o trabalho que dá
pra limpar um bicho desses?

VEADO CAMPEIRO

Jogador de futebol que fica
com veadagem em campo.

ACREDITE

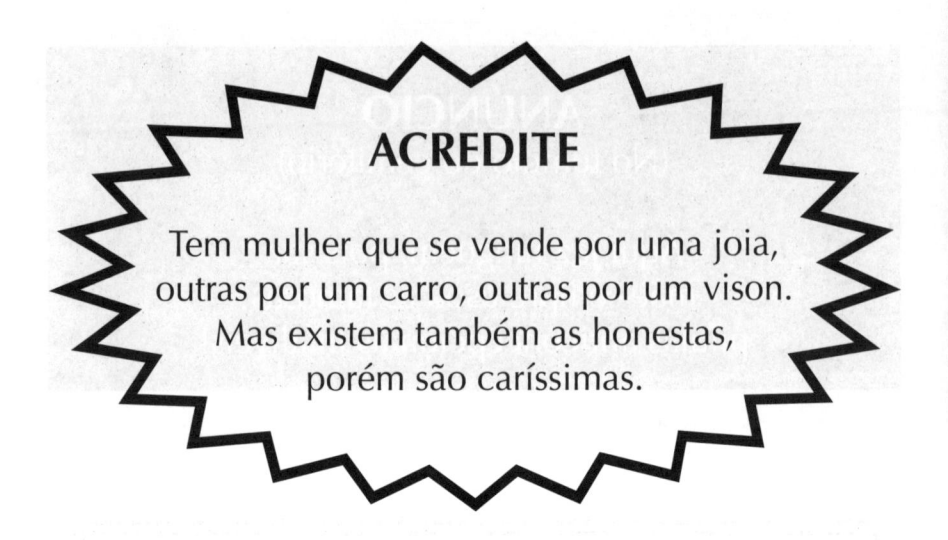

Tem mulher que se vende por uma joia, outras por um carro, outras por um vison. Mas existem também as honestas, porém são caríssimas.

INCOERÊNCIA

Não ache engraçado a Bolívia não ter mar e ter Ministério da Marinha. Lembre-se, aqui no Brasil temos o Ministério da Justiça.

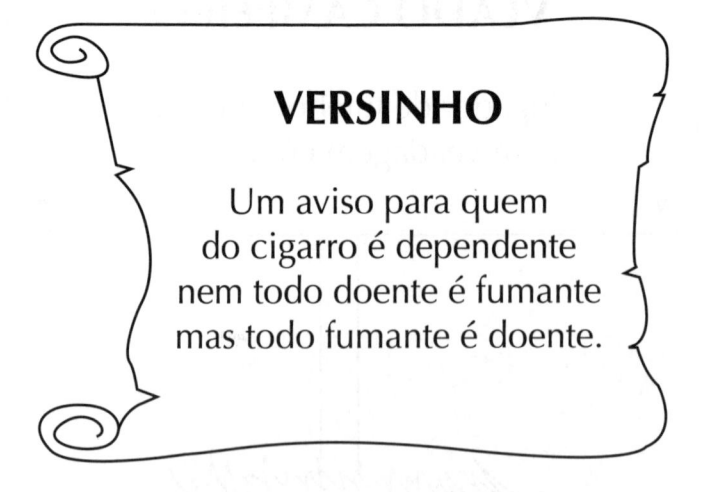

VERSINHO

Um aviso para quem
do cigarro é dependente
nem todo doente é fumante
mas todo fumante é doente.

SEXO

Na noite de núpcias, ela: "Não para... não para"! ... 30 anos depois: "Não, paaaara!

NATAL

O grande espetáculo universal, onde o papai noel é o ator principal e Jesus um mero figurante.

EVEREST

Um monte alto e gelado, cercado de corpos por todos os lados.

COLETIVOS

Coletivo de boi: boiada
Coletivo de cachorro: matilha
Coletivo de peixe: cardume
Coletivo de pobre: ÔNIBUS

MENTIRA

Tem gente que mente tanto que é capaz de transformar uma minhoca numa sucuri.

Não confie nos mudos...
são pessoas sem palavra!

CORAGEM

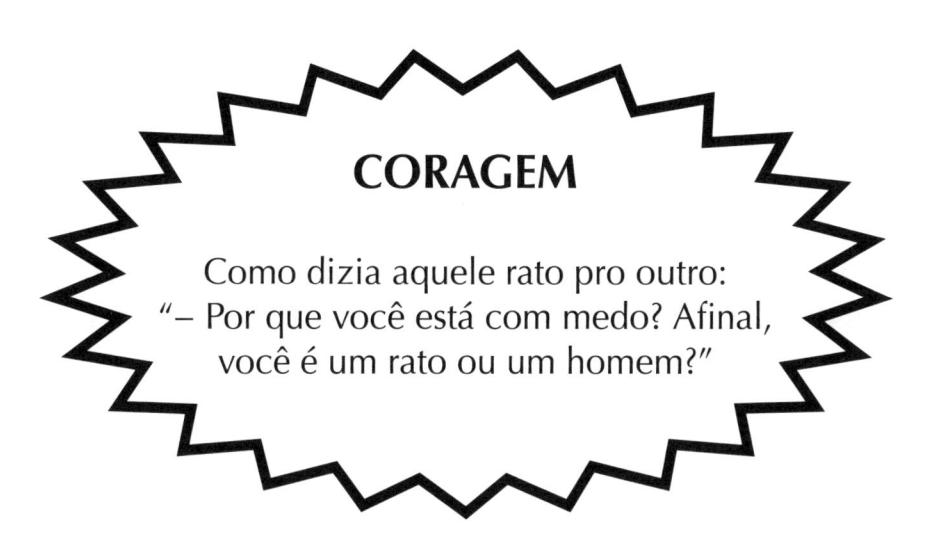

Como dizia aquele rato pro outro:
"– Por que você está com medo? Afinal, você é um rato ou um homem?"

CARRO VELHO

Tancredo Neves é o apelido do Fiat 147.
Mineiro, baixinho, feio e quando
mais se precisa dele, ele morre!

VERSINHO

Quando eu saí de casa
minha mãe disse: — Filho vai.
Pede a benção a todo mundo
que eu não sei quem é seu pai.

PASSADO

SÓ VOTO EM POLÍTICO QUE TENHA PASSADO. PASSADO POR CPI, PASSADO POR CURSO DE HONESTIDADE OU PASSADO POR CAMÂRA DE GÁS!

HOSPITAL

Lugar onde se tira a doença dos ricos e o óbito dos pobres.

PRISÃO

E quando ele disse para a namorada:
– Querida, me diga três palavras que me prendam a você pelo resto da vida.
Ela respondeu:
– EU... ESTOU... GRÁVIDA!

OSCAR

Uma estatueta oferecida pela Academia de Hollywood aos melhores do cinema: diretores, cachorros, cenógrafos, porcos, atores, pinguins, produtores, gatos etc...

ALTRUÍSMO

O verdadeiro altruísmo só se encontra nas orquestras, nos formigueiros e nas colmeias.

MICHAEL JACKSON

São Pedro ao Michael Jackson:
– Que bom que você chegou. Não aguentava mais assistir o show do Elvis Presley.

POEMA CAVADO

Eu cavo
Tu cavas
Ele cava
Nós cavamos
Vós cavais
Eles cavam

(Pode não ser bonito, mas é profundo!)

SONHO

Sonhou com o número 4, levantou às 4:44, pegou um táxi com a placa final 4, chegou no Jóquei Clube às 4:00, foi no guichê 4 e apostou 4 mil no cavalo 4. Resultado: O cavalo 4 ficou em 4º lugar.

DINHEIRO

Quando disseram ao Silvio Santos que existiam coisas mais importantes que o dinheiro, ele respondeu: "Me diz onde elas estão que eu mando comprar.

MARIDO

Marido é que nem vassoura, sem o pau não presta pra nada.

CONFESSIONÁRIO

Me faz lembrar lavanderia, onde se deixa roupa suja e sai com a limpa.

DIETA DO ARY

Sexo é a maneira mais eficiente de perder peso. Veja Quantas calorias você pode perder durante uma transa:

TIRANDO A ROUPA

Com consentimento dela	10 cal
Sem consentimento dela	190 cal

ABRINDO O SUTIÃ

Com duas mãos	08 cal
Com uma mão	32 cal
Com uma mão, sendo espancado por ela	87 cal

COLOCANDO A CAMISINHA

Com ereção	25 cal
Sem ereção	644 cal

NA HORA DA TRANSA

Tentando encontrar o clitóris	36 cal
Tentando encontrar o ponto G	234 cal
Tentando fazer ela virar	438 cal

POSIÇÕES

Papai e mamãe	38 cal
Frango assado	54 cal
Peão de boiadeiro	189 cal
69 deitado	37 cal
69 em pé	912 cal

APÓS O ORGASMO

Ficar na cama abraçadinho	25 cal
Virar de lado	36 cal
Explicar para ela por que virou de lado	814 cal

TENTANDO DAR A SEGUNDA

Se você tem de 16 a 19 anos	18 cal
Se você tem de 20 a 29 anos	38 cal
Se você tem de 30 a 39 anos	112 cal
Se você tem de 40 a 49 anos	326 cal
Se você tem de 50 a 59 anos	789 cal
Se você tem 60 anos ou mais	1.948 cal

COLOCANDO A ROUPA

Colocando a roupa calmamente	32 cal
Com pressa de se mandar	138 cal
Com o marido dela batendo na porta	2.438 cal

DUPLA FAMOSA

**TANCREDO E TIRADENTES, DOIS GRANDES MINEIROS QUE MORRERAM RETALHADOS PELA LIBERDADE DO BRASIL.
SÓ QUE TANCREDO FOI COM ANESTESIA GERAL!**

ACREDITE
O filho era dedo-duro.
Contou pra empregada que
viu o pai beijando a esposa.

IDADE
O melhor jeito para um
milionário de 70 anos
casar com uma garota de 20,
é dizer a ela que tem 90.

BURRICE DUPLA

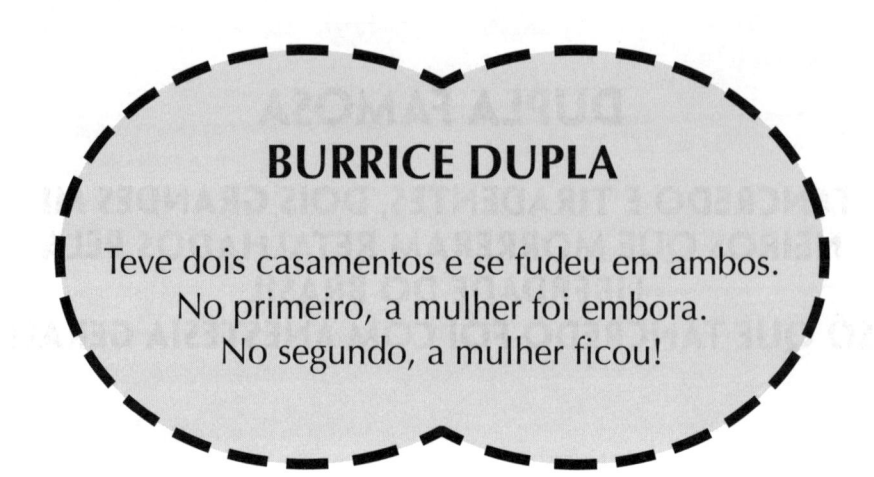

Teve dois casamentos e se fudeu em ambos.
No primeiro, a mulher foi embora.
No segundo, a mulher ficou!

JUSTIÇA

**Na balança da justiça,
um rico culpado tem o mesmo
peso de um pobre inocente.**

VERSINHO

O Camões era caolho
mas o poeta português
via mais com um só olho
do que nós com todos três.

VERSOGRAFIA

Sogra é igual onça-pintada
todos querem preservar
mas levá-la para casa
isso nunca, nem pensar!

HOMOSSEXUALISMO

Tá certo, se o homossexual
não gosta de buceta tem mesmo
é que tomar no cu.

AMESTRADOR

Ele começou amestrando pulgas e
agora está amestrando elefantes,
sabem como é, a vista foi ficando fraca,
ficando fraca, ficando fraca...

MAIS CINCO COISAS QUE EXISTEM, MAS A GENTE NÃO VÊ:

Turco que esquece o troco
Puta de estrada fazendo fiado
Cu de pinguim
Joelho de freira
Tocador de sanfona sem problema de coluna

HÍMEN

O hímen está para o casamento assim como o queijo está para a ratoeira.

INQUÉRITO

O brasileiro não se escandaliza mais com essas denúncias de superfaturamento, corrupção, robalheira, porque sabe que com o tempo tudo acaba em CPI.

ATEU

Não existe ateu que de vez
em quando não sinta vontade
de tomar um golezinho de Deus.

PUNHETA

O cara que inventou a punheta era
realmente um inventor de mão cheia!

VERSINHO

Se o ator é um fingidor
e finge tão completamente
como fica o canastrão
Neste verso diferente?

VELHO DITADO

Quem cutuca onça com vara curta é japonês tarado!

ITINERÁRIO

**Quando o espermatozoide perguntou:
O útero está longe?
O outro respondeu:
Calma... você acabou de passar pelas amígdalas.**

HOSPÍCIO

O hospício é um lugar onde não são todos que estão, nem estão todos que são!

SEGURA, PEÃO

Só vou acreditar que um peão
é bom mesmo, no dia em que ele
montar na esposa, falar o nome
da outra e permanecer quatro
segundos em cima dela.

HIPOCRISIA

**A verdadeira hipocrisia
está estampada no sorriso
de um padre
celebrando um casamento.**

EPITÁFIO DA PUTA
Agora só a terra
vai comer.

MORTE

Às vezes fico pensando como me sentiria diante da morte se eu não tivesse feito nada na vida.

GUERRA

É O ÚNICO JEITO DE ESCREVER "ESTUPIDEZ" COM SEIS LETRAS.

PARA PENSAR

Só existem duas cidades do Brasil, cujo nome metade a gente come: Aracaju e Cuiabá.

BELEZA

Ela era linda e gostosa demais.
Quando andava na rua todos buzinavam,
mas ela não olhava. Morreu atropelada.

LOIRANTA

E quando a loiranta viu um
helicóptero parado no ar,
perguntou para a morena:
– Será que acabou a gasolina?

CIDADE

A cidade era tão mixuruca que
o número de habitantes era
de 10 mil e uns quebrados, depois de
10 anos, só tinha os quebrados.

CONSELHO PATERNO

Filho, se caíres pela primeira vez, levanta-te.
Se caíres pela segunda vez, levanta-te.
Se caíres pela terceira vez,
fique no chão, aí é teu lugar.

TRAIÇÃO

Estava no motel com o amante,
mas contra a vontade do médico.
Motivo: o marido era médico.

FESTA

E aí um umbigo falou pro outro:
– Deve estar a maior festa lá
embaixo, é um tal de entra e sai...

POEMA DAS ASPAS

Ai amor assim não pode ser
„ „   „   „   „

„ „   „   „

„ „   „

„ „

„

NÁUFRAGO

E salvando-se do naufrágio,
em cima de seu contrabaixo
acústico, aquele músico dizia:
– E minha mãe queria que
eu estudasse flauta!

APELIDOS

SEGUEM ABAIXO, OS APELIDOS DO OBJETO MAIS RICO EM SINONÍMIA DA LÍNGUA PORTUGUESA, COMO SE JÁ NÃO BASTASSE A RIQUEZA DE SUA EXISTÊNCIA E SEU SIGNIFICADO:

falucha, chavasca, bibica, catarina, cachambira, xereca, bregueço, chibila, piriquita, cococa, tainha, compasso, pixoca, bileia, xaninha, bila, xuranha, chana, xuruca, perereca, jaritaca, aranha, carapeba, carrapeta, nhonha, mandureba, lagartixa, framboesa, atrativa, passatempo, mochila, curruira, biriba, brachola, jurubeba, bruxeca, piquita, cabala, xororoca, fubica, xoxota, xoxoca, pissuranga, perigosa, prexeca, pichirica, quentinha, xuruca, babaca, chiquinha, xexenia, butchaca, canoa, peteca, masçanguaba, pamonha, guargirana, graxeta, chirimboca, biringela, partida, xarenga, marisco, biroca, brucheca, xambira, xixica, chalana, cona, priquita, concha, bauika, forquilha, gamela, barata, cacilda, cratera, rachada, galoxa, caxara, xibiu, bandola, despenteada, picuíra, xirigoma, borboleta, coruja, ratazana, bocuda, birosca, jurupoca, pixirica, gruta, pretinha, bruaca, bruxeca, xaranga, caçamba, tesoura, buçanga, meu consolo, cribimboca, amassa cobra, buça, sinhaninha, vassoura, castanheta, generosa, dindinha, taturana, chanfreta, lacraia, caçarola, piassava, poderosa, maritaca, genuína, mimosa, pomba, titinha, trembão, tcheca, chafarica, perseguida, tatinha, chimbica, bacurinha.

O NOME DE REGISTRO É "VAGINA", MAS ATENDE MESMO É POR "BUCETA".

CASTIGO PARA ESTUPRADOR

Trancar o saco dele na gaveta,
colocar uma navalha em cima da mesa
e, em seguida, tacar fogo na casa.

VERBO

Que bom seria se no Brasil o verbo
"roubar" fosse conjugado assim:
Eu estou preso
Tu estás preso
Ele está preso...

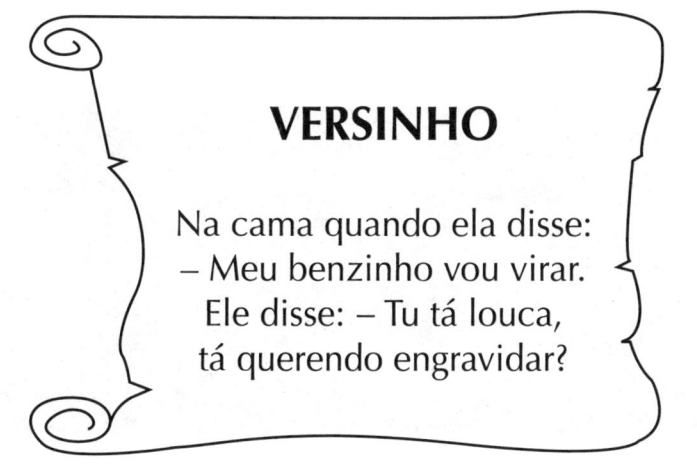

VERSINHO

Na cama quando ela disse:
– Meu benzinho vou virar.
Ele disse: – Tu tá louca,
tá querendo engravidar?

ADVOGADO

E aí quando o cliente perguntou ao advogado:
– O senhor não acha um absurdo cobrar 200 reais por cada pergunta que eu lhe fizer?
Ele respondeu:
– Acho... já me deve 200.

FUTEBOL

E aí, no vestiário, o técnico português incentivava os seus jogadores:
– Aqui estamos meus garotos invictos sem pontos perdidos e prontos para começar o primeiro jogo do campeonato.

TROCA-TROCA

E aí a Soda falou pra Fanta:
– Querida, vamos trocar as letras e dar uma "santa foda"?

ESPETÁCULO

Há muitos anos, nos Estados Unidos, na saída do teatro, o repórter perguntou à mulher: – Apesar do acidente, o que achou do espetáculo, sra. Abraham Lincoln?

CORRETAGEM

O VENDEDOR DE IMÓVEIS PARA UM CASAL: – SIM, EU TENHO UMA CASA BEM MAIS BARATA PELO PREÇO QUE OS SENHORES QUEREM. GOSTARIAM DE DAR UM PULO ATÉ LÁ PRA VER SE ELA AINDA ESTÁ DE PÉ?

LOIRANTA

A loiranta ensinando a amiga a jogar boliche: – Toma cuidado pra não derrubar todas as garrafas com a primeira bola, senão você perde o direito de jogar a segunda.

SECRETÁRIA

Aquela secretária era tão organizada, que quando tomava sopa de letras cagava em ordem alfabética.

TRUCO

E o pai jogando truco contra o filho, lascou:
– Truco, filho da puta!
E o filho: – Seis, corno manso.

MÍDIA

Tem gente que gosta tanto de aparecer na mídia que quando acha uma carteira cheia de dólar, vai correndo devolver pro dono.

ANÚNCIO

Vende-se casa de cachorro em
ótimo estado, a preço de ocasião.
Serve para cachorro grande
ou marido pequeno.

TATUAGEM
**Uma doença que nasce no cérebro,
vira metástase e se espalha pelo corpo todo!**

CAMISA VELHA

Era tão bicha que o apelido era camisa velha.
Soltava o botão com facilidade.

PELÉ

O Pelé tinha razão. O brasileiro positivamente não sabe votar. Conheço vários políticos que no dia da eleição acabaram votando neles mesmos!

CAFÉ

O pior café é aquele que tem 17 efes: fraco, fedido, fino, feio, frio, fedorento, feito em filtro furado, formiga no fundo fazendo festa, faz freguês ficar furioso.

FANÁTICO

É o cara que não pode mudar de opinião e não quer mudar de assunto.

VER**SOGRA**FIA

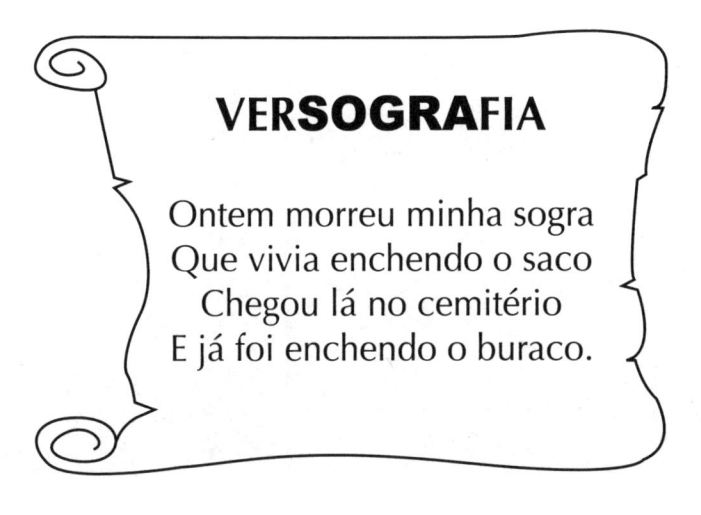

Ontem morreu minha sogra
Que vivia enchendo o saco
Chegou lá no cemitério
E já foi enchendo o buraco.

SEPARAÇÃO

Separou-se da esposa porque há três meses ela não falava com ele. Hoje está arrependido, nunca mais encontrou uma mulher assim.

PREGUIÇA

Sou meio preguiçoso, ser preguiçoso inteiro dá muito trabalho!

MEU TEMPO

Sou do tempo que o jovem
no domingo ia à missa
do tempo que se amarrava
o cachorro com linguiça
do tempo que só mulheres
é que gostavam de piça.

SÃO PAULO

A quarta maior cidade do mundo, onde em virtude de seu clima maravilhoso, doze milhões de pessoas conseguem sobreviver.

DÍZIMOS

Quanto mais dízimos, mais igrejas: vide na página seguinte: "igrejas".

FUTEBOL

Está provado que a mulher
entende mais de futebol que o homem:
ela tem regra;
tem combinação;
sabe baixar o pau;
aguenta o cacete;
e não deixa a bola entrar.

PROGRAMINHA

E aí o anãozinho, no motelzinho,
de pauzinho durinho, falou pra
anãzinha, já peladinha:
– Queridinha, vamos fazer um 34,5?

IGREJAS

**Quanto mais igrejas, mais dízimos:
vide na página anterior: "Dízimos".**

JOHNSON & JOHNSON

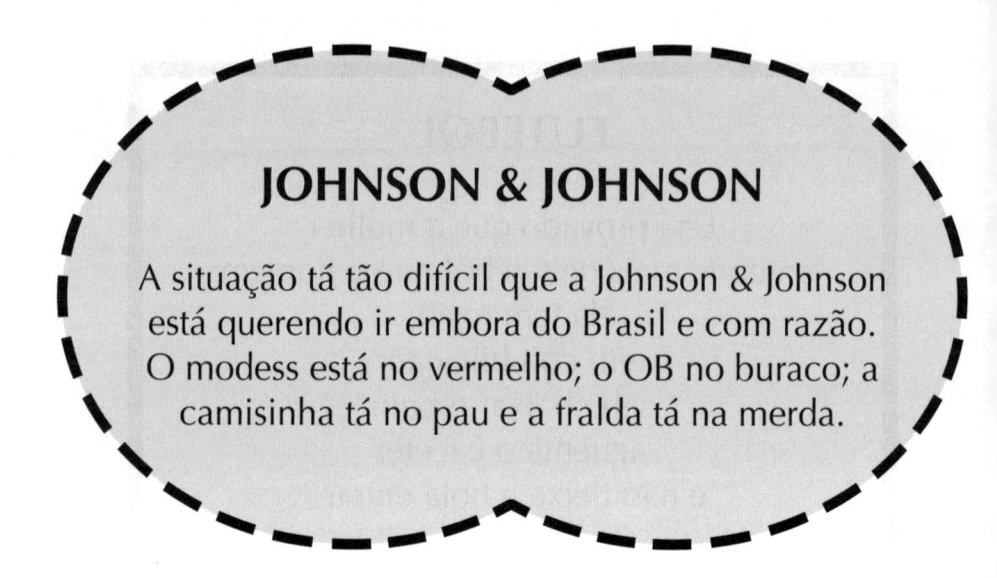

A situação tá tão difícil que a Johnson & Johnson está querendo ir embora do Brasil e com razão. O modess está no vermelho; o OB no buraco; a camisinha tá no pau e a fralda tá na merda.

NEGÓCIOS

Ninguém sabe com quantos paus se faz uma canoa. Mas uma sobrinha minha, com um pau só, fez uma canoa, dois iates, três barcos e comprou quatro fazendas no Mato Grosso.

VERSINHO

Disse o cigarro ao fumante:
— Vou lhe causar um estrago.
Porque hoje tu me acendes,
mas, amanhã, eu te apago.

SURRA

Bateu na sogra e foi condenado a dois anos e um mês de prisão.
Dois anos pela agressão e um mês pelo divertimento.

MULHER FELIZ

Feliz é a mulher do leiloeiro que vive dizendo:
"Dou-lhe uma... dou-lhe duas... dou-lhe três".

FILHOS

Não tenho filhos... mas isso não me preocupa. O médico garantiu que eu não tenho porra nenhuma.

ACIDENTE

O cara que o rolo compressor passou
por cima dele ficou internado
nos quartos 15, 16 e 17.

EXAGERO

Quando o filho perguntou à mãe se ele tinha
pés grandes, esta o tranquilizou:
– Não, meu filho, não! Agora vai tirar os sapatos
da garagem que o teu pai precisa colocar o
carro lá.

VERSINHO

E foi em mil e quinhentos
quando alguém anúnciou:
– Pessoal, estou vendo um monte!
– De quê? Cabral perguntou.

TRABALHO FORÇADO

Naquele dia o preso teve que trabalhar.
O diretor do presídio perdeu a chave do cofre!

POLÍTICOS

Não existe político desonesto,
o que existe é político sem
vocação para honestidade.

RÁDIO E PINICO

A diferença entre o rádio e o pinico:
"O rádio não vê nada e fala tudo...
e o pinico vê tudo e não fala nada!"

ZOOLÓGICO

Era tão feia, que no dia em que pediu ao marido pra levá-la ao zoológico, ele respondeu:
– Não... se eles quiserem ver você, eles que venham aqui em casa.

CINTO DE CASTIDADE

A GRANDE MOTIVAÇÃO PSICOLÓGICA PARA A INVENÇÃO DO ABRIDOR DE LATAS.

JUSTIÇA

O símbolo da justiça é a balança porque ela tem a consciência pesada.

RECEITA

O verdadeiro humor negro é o médico da Etiópia receitar àqueles meninos de pele e osso remédio para tomar após as refeições.

PERGUNTINHA

Se o governo de Getúlio Vargas durou 15 anos, por que foi chamado de provisório?

PERGUNTINHA

Por acaso Cabo Frio é uma cidade ou é a piroca de esquimó?

ATOR

Existem três tipos de ator:
ator de TV,
ator de cinema
e ator mesmo!

NÃO CONFUNDIR

O beijo da mulher aranha com
o beijo na aranha da mulher.

BANCO

Qualquer assalto a um banco...
é sempre uma reciprocidade!

"MODERNAGEM"

A masturbação feminina
é mais moderna que a
masculina, porque é digital
e a masculina é manual.

PERGUNTINHA

Se o mundo ia acabar em água,
por que Noé levou um casal de peixes?

VERSINHO

Rico usa brinco é playboy
pobre usa brinco é viado
rico metendo é amor
pobre metendo é tarado.

LOIRANTA

Quando a morena magrinha e de cabelo raspado disse para a loiranta que estava fazendo quimioterapia, ela comentou: "Que legal! Na PUC ou na USP?"

IMITADORES

A frase mais odiada pelos imitadores: "Exija originalidade... recuse imitações!".

TEATRO

É como dizia a mãe mosquita pro mosquitinho: – Está bem, meu filho, se você gosta de teatro vá, mas muito cuidado com os aplausos.

ANÚNCIO

Diretor de teatro procura figurantes para megaprodução.
Exigi-se experiência de no mínimo cinco filmes como ator principal.

TRABALHO

Adoro o trabalho. Sou capaz de ficar horas e horas vendo as pessoas trabalharem.

ACREDITE

O meu avô não morreu de morte natural... ele morreu na mão de três médicos!

FASE DOS METAIS

Não há como negar, o homem depois dos 70 entra na fase dos metais: prata no cabelo, ouro no dente e chumbo no pau.

ALEGRIA

E AÍ A BICHA TODA CONTENTE, EXCLAMAVA: "ESTOU TÃO FELIZ! TOMEI DORIU... MEU PINTO SUMIU!".

ESPECTADOR

Certos atores não entendem que quando o espectador dorme na plateia, está apenas dando a sua opinião sobre o espetáculo.

FUMO

Antônimo de "Vortemo".

TERRORISMO

O telefone é um terrorista que vive assustando as coitadinhas das canetas. Basta ele tocar que elas desaparecem da frente dele.

DILÚVIO

A grande mijada de São Pedro!

COMILANÇA

Quando o cara comentou com o amigo:
– Antes de me casar eu não comi a minha esposa. E você?
O outro respondeu:
– Não me lembro, como era o nome de solteira dela?

PLANO

Tenho um plano a longo prazo, que é: "Depois que eu morrer abandonar minha carreira".

MÚSICA

A influência da música sertaneja é tão forte, que logo logo vamos comprar no supermercado "ovos de galinha sertaneja".

COMPANHIA

Não julgue as pessoas pela companhia. Lembre-se, Silvério dos Reis andava com ótimas pessoas.

CANTORA

A voz da mulher era tão feia que toda vez que começava a cantar, o marido corria pra varanda para os vizinhos verem que ele não estava batendo nela.

INCOERÊNCIA

Fumava cinco maços de cigarro por dia e era contra a pena de morte!

AVIAÇÃO

QUANDO O AVIÃO SOFRE TURBULÊNCIA TEM GENTE QUE SENTE FALTA DE AR. EU, PELO CONTRÁRIO, SINTO FALTA DE TERRA.

PREFERÊNCIA

Dizem que os caranguejos quando brigam comem a perna um do outro. Por isso, no restaurante peço sempre que me sirvam aquele que ganhou a briga.

JÔ

Não há o que discutir, pra emagrecer tem que separar o Jô do trigo.

NOMES

Magnólia, Azaleia, Dália, Gardênia, Camélia, Perpétua, Tulipa, Jasmim, Violeta, Rosa, Hortência e Margarida, eram as filhas da dona Trepadeira.

PESCARIA

Quando perguntaram ao caipira se o rio era piscoso ele respondeu: "Quando chovisca, pisca!".

PINTURA

Todo quadro de pintura moderna não deveria ter assinatura, pra gente poder colocar na posição que mais nos agradar.

POLÍTICA

Slogan para minha campanha a deputado: "Quem tem cu tem medo. Vote no Ary Toledo"!

ESPÍRITO

Todo espírito que vive assustando as pessoas é um espírito sem alma!

ACREDITE

A menstruação é a dívida do pecado original, que Deus resolveu facilitar em suaves prestações mensais.

AMOR À PÁTRIA

Todo o soldado que morre pela pátria é um filho da puta, porque o bom soldado mesmo é aquele que mata o filho da puta que morre pela pátria dele.

SURPRESA

Quando o cara perguntou ao padre se estava tudo bem, a resposta foi imediata:
"Tudo mal... descobri que a tua mulher está pondo chifre em nós dois".

QUASE-QUASE

Apelido que o carioca deu para a rua "Bulhões de Carvalho".

CELIBATO

Não é a igreja que impede os padres de se casarem, o que impede são as confissões das mulheres casadas.

RESPONDA DEPRESSA

O que é pior, uma mulher fria na cama ou uma cerveja quente no bar?

VIBRADOR

Aparelho que as mulheres antigas usavam para fazer massagem na pele.

HINO

O brasileiro canta o Hino Nacional até o "berço esplêndido",
porque depois disso ele se acomoda no "berço esplêndido"!

EMPRÉSTIMO

A mulher era tão feia que o amigo pediu: "Me empresta sua mulher para eu ir até a esquina tomar uma vaia e já devolvo ela?"

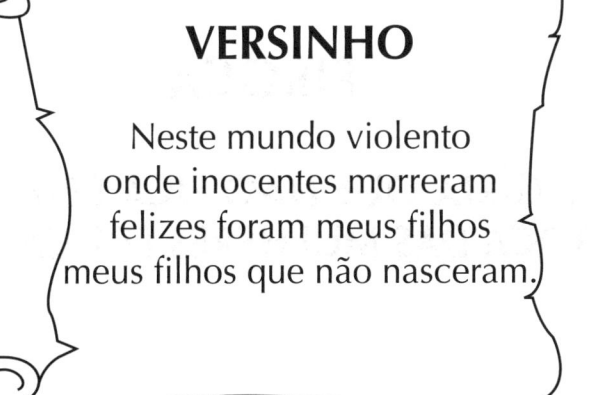

VERSINHO

Neste mundo violento
onde inocentes morreram
felizes foram meus filhos
meus filhos que não nasceram.

VERSOGRAFIA

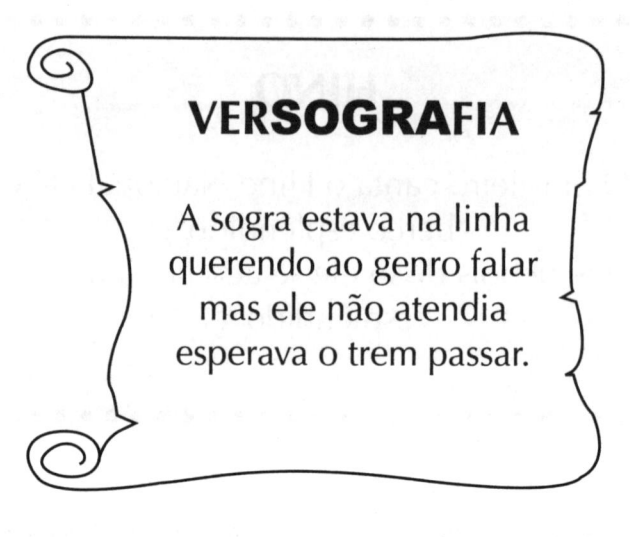

A sogra estava na linha
querendo ao genro falar
mas ele não atendia
esperava o trem passar.

SUGESTÃO

Certos cantores que quando cantam não sabem o que fazer com as mãos deveriam usá-las para tapar a boca!

PIROCA

É GÍRIA QUE NÃO FICA BEM NA BOCA DAS MULHERES EDUCADAS.

MODÉSTIA

Pediu ao marido como presente de aniversário apenas um radinho, pequenininho, bem simplesinho, desses que têm um carro importado do lado de fora!

TÁ PROVADO

A ginástica realmente enrijece os músculos, a punheta é a prova disso!

IGUALDADE

Acho besteira as mulheres quererem ser iguais aos homens. Pra que se rebaixar?

OTIMISMO

Otimista mesmo foi aquele técnico quando aos 44 minutos do segundo tempo e perdendo de 5 a 0 disse aos seus jogadores: "Rapazes, estamos sendo goleados, não vamos deixar a vitória escapar!".

DRAMATURGIA

Nome de uma peça infantil que acabei de escrever: Onde se meteu o pequeno polegar?

IMITAÇÃO

O maior sonho de um humorista é ser arremedado por um imitador.

MENTIRA

Entre todas as mulheres, a mais mentirosa é a puta, porque não mente só com a boca, mente com o corpo inteiro.

MOTORISTA

O melhor motorista do mundo é o japonês. Consegue dirigir com os olhos fechados.

ATEU

Os ateus são inteligentíssimos, eles não acreditam naquilo que não existe.

VIRGINDADE

As mulheres sempre perdem a virgindade, contra a cama, contra a grama, contra a parede, contra o banco do carro, mas nunca contra a sua vontade.

MEDO

As duas coisas que mais assustam as mulheres – a velhice e os ratos.

HOMEM

É impossível a mulher ficar casada 20 anos com o mesmo homem. Porque depois do terceiro ano, ele já não é mais o mesmo homem.

PÊNIS

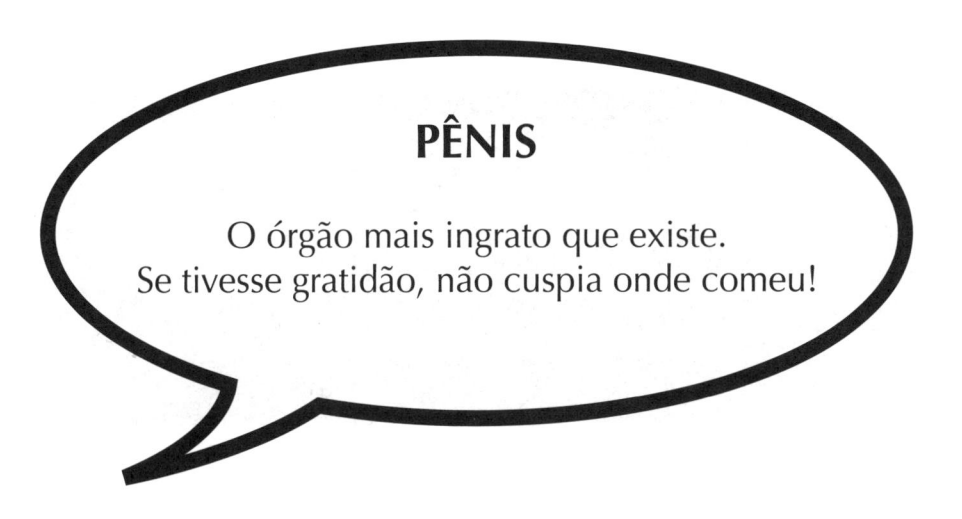

O órgão mais ingrato que existe.
Se tivesse gratidão, não cuspia onde comeu!

HOMENS

NOVENTA POR CENTO DOS HOMENS SÃO INFIÉIS, OS OUTROS DEZ MENTIROSOS.

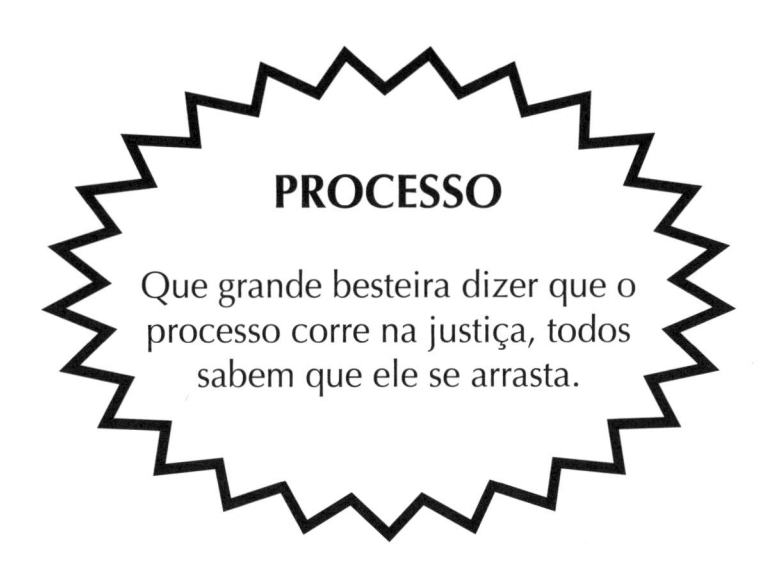

PROCESSO

Que grande besteira dizer que o processo corre na justiça, todos sabem que ele se arrasta.

CASAMENTO FELIZ

CASAMENTO FELIZ É QUE NEM NÁDEGAS, MERDA NENHUMA SEPARA.

PLÁGIO

O Lula está sendo processado por plágio a famosa frase do filósofo Sócrates: "Só sei que nada sei".

MULHER DADEIRA

Aquela mulher dava tanto que as pessoas que a encontravam logo perguntavam:
— Quem foi que nasceu primeiro?
Foi o ovo, ou a senhora?

LEMBRANÇAS

Quando eu era jovem, as mulheres davam muito em cima de mim. Também, pudera, eu morava no porão de um motel.

TECNOLOGIA

DIZEM QUE ESTÃO FAZENDO PAPEL DO BAGAÇO DA CANA, NÃO VEJO VANTAGEM NENHUMA. EU TOMO O CALDO DELA E FAÇO PAPELÃO!

LOIRANTA

É como dizia a loiranta para morena:
— Estou preocupada, amanhã vou fazer exame de fezes e
eu não estudei nada!

MEU TEMPO

Sou do tempo que os jovens
não usavam cocaína
do tempo em que se passava
no cabelo brilhantina
e só casando se tirava
o cabaço da menina.

CABRAL

Cabral veio ao Brasil porque durante uma discussão o rei Dom Manuel mandou ele ir à merda.

HUMOR

O bom humorista não é aquele que faz o público rir é o que faz o público mijar!

SEMÁFORO

Quer que o semáforo abra rapidamente para você? Comece a procurar alguma coisa no porta-luvas.

COMIDA

Tem gente que reza antes de comer. Lá em casa isso não acontece, minha mãe cozinha muito bem.

MORTE

É mentira que só quem morre fica sabendo como é o outro lado da vida. Se está morto, porra, como é que vai saber?

CHAPLIN

Segundo o seu biógrafo, Chaplin era um homem bom. Em toda a sua vida, nunca conseguiu odiar ninguém. Exceto o inventor do cinema falado.

PUTEIRO

Lugar onde as mulheres cumprem rigorosamente a lei de Deus: "É dando que se recebe".

LOIRANTA

Você sabe como uma loira faz para matar uma minhoca? Ela enterra a minhoca.

TRABALHO

Meu avô trabalhava na lavoura, arava a terra todo o dia e fez 16 filhos. A vida dele era assim: de dia no "arado" e de noite na "aranha".

UNIVERSIDADE

A melhor do mundo é a de Coimbra, consegue formar português.

PROFUNDEZA

E aí o ginecologista examinando a mulher dizia:
— Mas que vagina profunda... unda... unda... unda... !

CORAÇÃO

Depois que operei o coração, só como a minha esposa. O médico me proibiu de ter emoções fortes.

DITADURA

A MAIS PERFEITA DEMONSTRAÇÃO DE DITADURA ESTÁ NO VATICANO, ONDE O DITADOR SÓ DEIXA O PODER DEPOIS DE MORTO.

VIAGRA

Viagra de pobre é um grão de milho que se põe no umbigo. O pinto vê e sobe pra pegar.

ETIMOLOGIA

A palavra mais cobiçada pelos devassos começa com "BU", tem "C" no meio e termina com "TA".
É "burocrata", seu malicioso!

BRIGA

Antigamente eu dava um boi para não entrar numa briga, hoje eu brigo por um bife.

HONESTIDADE

Os dois amigos eram tão honestos que jogavam palitinho por telefone.

GÊNESIS

Para Deus foi fácil inventar o sexo.
Ele fez dois bonequinhos de barro e botou no
sol pra secar. Um rachou e o outro brotou!

ACREDITE

O tamanco tem algo a ver com o bebê,
porque também foi feito de pau duro.

PERGUNTINHA

Se samba não se aprende na escola,
para que Escola de Samba?

CERVEJEIRO

Gostava tanto de cerveja que toda vez que ia trepar inclinava a mulher pra não fazer espuma!

GOZAÇÃO

Se eu fosse Deus, nunca diria "se Deus quiser", diria "se eu quiser", só pra irritar o Diabo.

COMPARATIVISMO

Enquanto Adão dormia, Eva olhava pro pau dele e concluía: Realmente é pequeno, mas também comparar com qual?

VERSOGRAFIA

Cortou o rabo do Lulu
o mais próximo do cu
sem nenhum constrangimento
pra quando a sogra chegar
o animal não demonstrar
o menor contentamento.

PIANO

O piano é um instrumento que o alemão fabrica, o italiano toca, e o português carrega.

LEI

A lei no Brasil é que nem cano de irrigação, cheio de furinhos para a água escapar.

SEMELHANÇA

A semelhança entre a nota musical,
o pato e o político é a seguinte:
a nota musical é filha da pauta,
o pato é filho da pata
e o político é filho da pátria.

"PADREFILIA"

A Lacta está mandando caixas e mais caixas
de chocolate para os padres pedófilos.
Que é para eles não comerem garoto.

"APRECIAMENTO"

As três partes do corpo da mulher que o homem mais aprecia são duas: a Bunda!

FAMÍLIA

A família daquela bicha era degenerada mesmo. Ele era viado, o pai era viado, o tio era viado, o irmão viado, ninguém gostava de mulher,
só a irmã mais velha.

REALEZA

E aí o absorvente falou pra rainha:
– Azul é a puta que pariu!

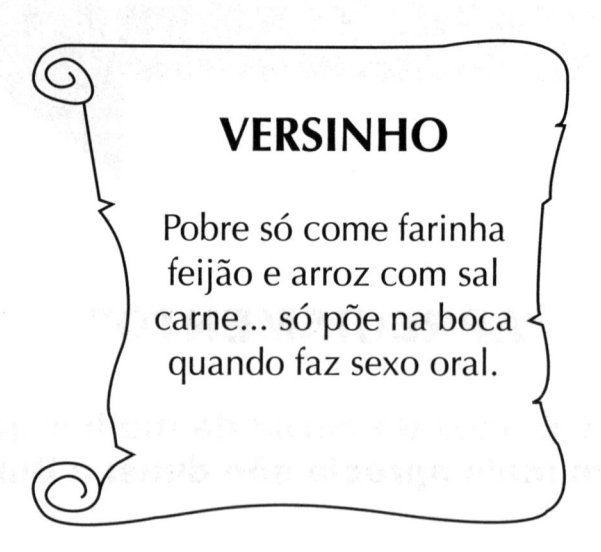

VERSINHO

Pobre só come farinha
feijão e arroz com sal
carne... só põe na boca
quando faz sexo oral.

CONSELHO

Na hora das grandes dificuldades, você deve levantar a cabeça, encher o peito e dizer de boca cheia: — Agora fodeu!

JUSTIÇA

A justiça brasileira não é justa porra nenhuma... é larga pra cacete!

O PRIMEIRO

Eva foi a mulher mais galinha de que se tem notícia. Foi logo dando para o primeiro homem que apareceu.

ESMOLA

Quem dá aos pobres empresta a Deus,
que deve tá devendo pacas!

SEMELHANÇA

(Entre o bom violinista e o mau político)

O bom violinista toca no Stradivárius,
e o mau político toca no Cudivários!

AVIÃO

Tenho tanto medo de avião que quando viajo
procuro o lugar mais seguro: a "caixa preta".

LEI DO GALINHEIRO

O peru pinica o ganso,
o ganso pinica o pato,
o pato pinica o galo,
o galo pinica a galinha,
a galinha pinica o frango,
o frango pinica o pinto
e o pinto faz piu-piu
e manda todo mundo
pinicar a puta que pariu!

LOIRANTA

Quando perguntaram a loiranta se ela preferia
o sexo oral ou o anal, ela respondeu:
– O oral, porque é de hora em hora.
O anal é de ano em ano.

PIADA

É como peido no elevador, alguém faz, só que ninguém sabe quem foi.

MAIS CINCO COISAS QUE EXISTEM, MAS A GENTE NÃO VÊ:

Caixinha de manteiga fácil de abrir
Adolescente arrumando a cama
Caneta perto do telefone
Chester vivo
Argentino com complexo de inferioridade

ECONOMIA

Está provado que a mulher entende
mais de economia que o homem:
ela abre o negócio
recebe o bruto
dá o balanço
e fica com o líquido.

VELHO DITADO

Porco que tem dois donos
acaba morrendo de fome.

VELHO DITADO

O sexo no final é uma grande gozação.

PRIMEIRA VEZ

Eis como a bicha definiu sua primeira vez:
Sentei
Senti
Sofri
Suei
Sorri!

INTIMIDADE

Não se esqueça, foi brincando, brincando que o macaquinho comeu a mãe.

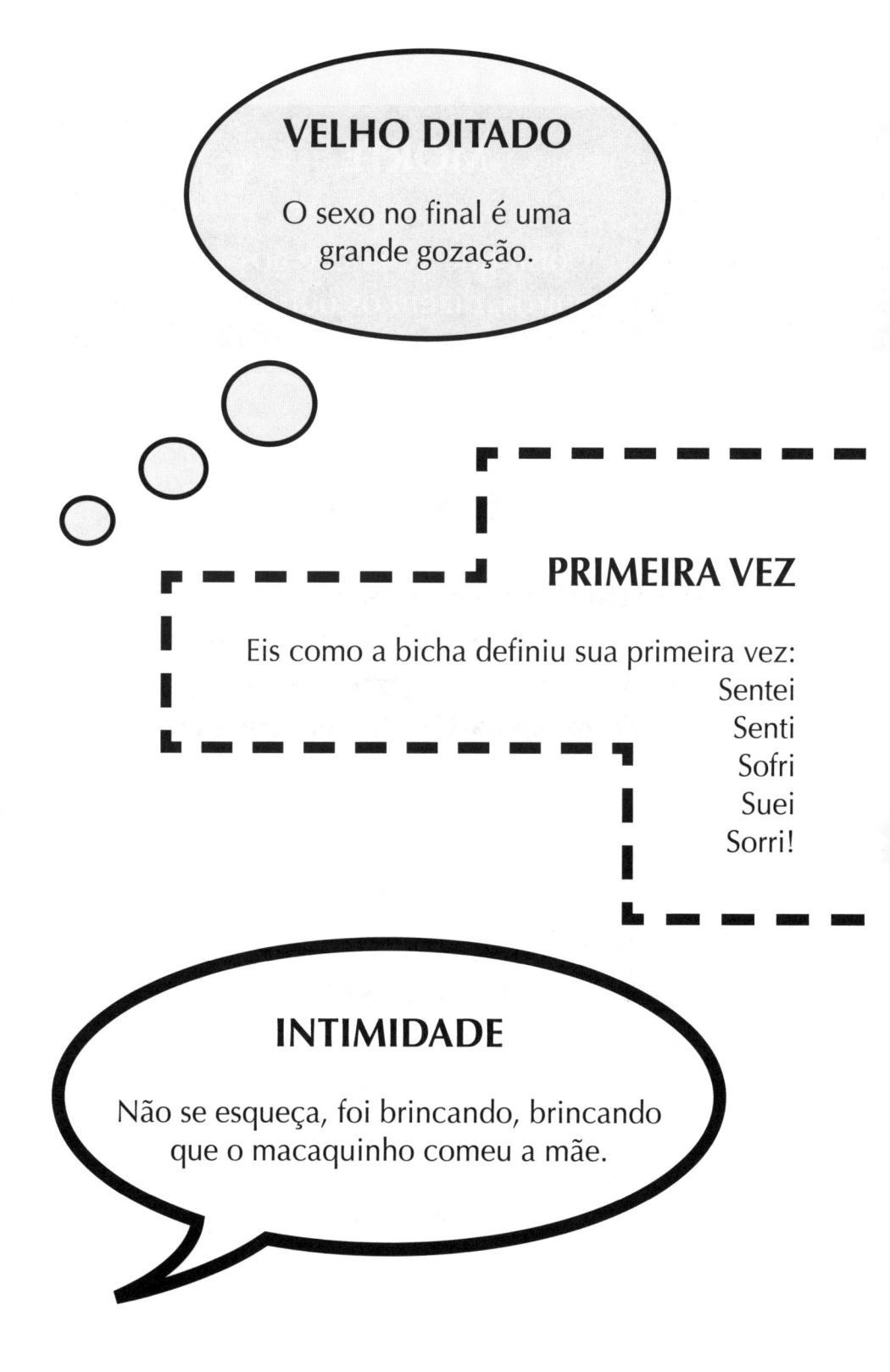

MORTE

Coisa que acontece aos outros, dizem os outros.

HÁLITO

O sujeito tinha um hálito tão forte que num concurso de mau hálito, tirou o primeiro lugar. Em segundo ficou um cu.

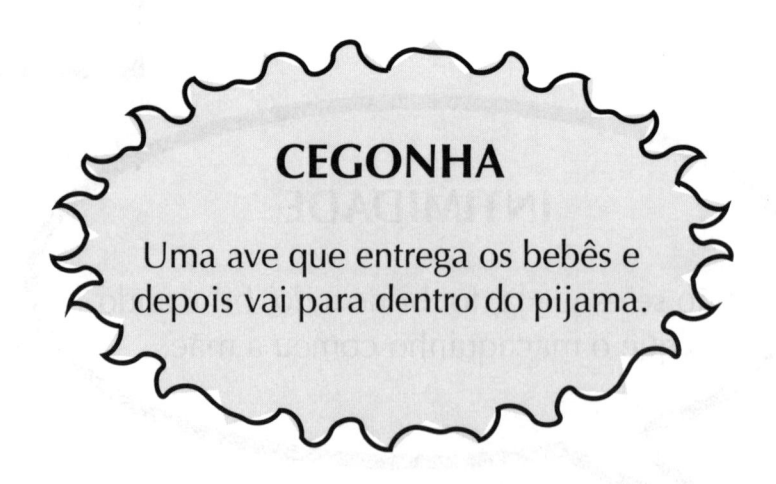

CEGONHA

Uma ave que entrega os bebês e depois vai para dentro do pijama.

PAULISTANO

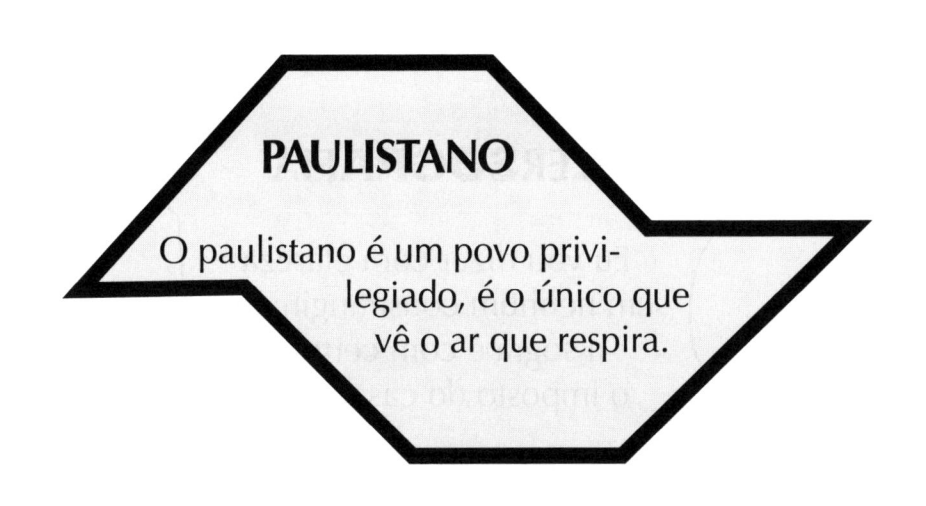

O paulistano é um povo privilegiado, é o único que vê o ar que respira.

CASTIGO

Era lésbica e se formou em Urologia.

ARTE

Dizem que no cinema, o beijo é técnico. E no cinema pornô, a trepada é técnica?

VERSOGRAFIA

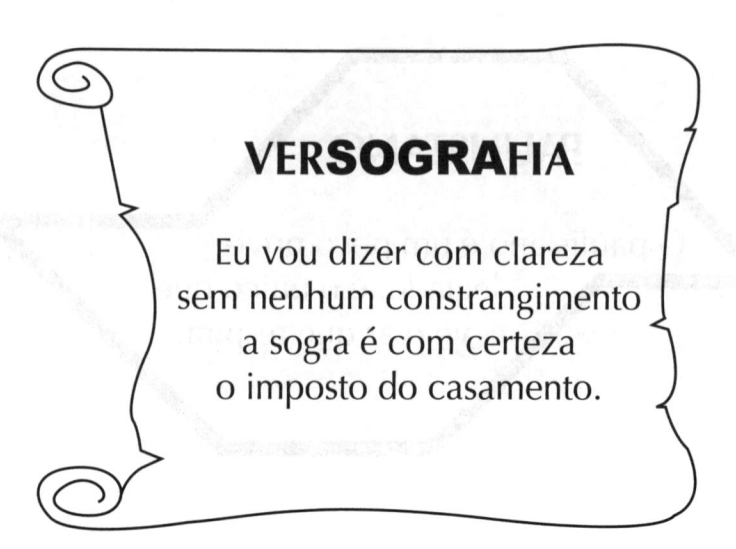

Eu vou dizer com clareza
sem nenhum constrangimento
a sogra é com certeza
o imposto do casamento.

PAGAMENTO

Dizem que sou um humorista
impagável, é verdade, devo para todo
mundo e não pago!

TEATRO

Que sucesso não teria feito o teatro se
fosse inventado depois da televisão!

INCOERÊNCIA FEMININA

A garota não deixava o namorado gozar no seu ouvido, com medo de ficar surda. Bobagem, na semana passada ela não tinha ficado muda!

DALTONISMO

Ele era tão daltônico, mas tão daltônico, que chamava a Dona Branca de Dona Rosa!

DESINFETAR

A maneira de trocar um fedor por outro!

BUROCRACIA

Se fosse criado no Brasil o Ministério da Burocracia, com certeza o ministro escolhido levaria 20 anos só para tomar posse!

PERGUNTINHA

Aurélio Buarque de Hollanda era um homem de palavra?

RECLAMAÇÃO

Não fique reclamando de tudo o que você já passou no casamento. Reclame também de tudo o que você já lavou, enxugou etc.

MEU TEMPO

Sou do tempo que a bandinha
no coreto ia tocar
do tempo que a mulher tinha
que ser virgem pra casar
do tempo que a língua era
usada só pra falar.

AVISO

**O Ministério da Saúde adverte:
não coma um CDF, pode dar tétano.**

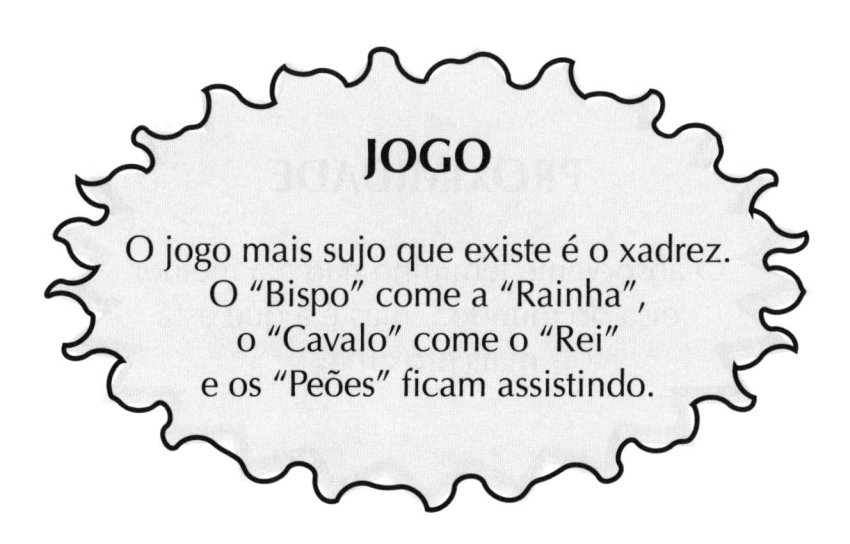

JOGO

O jogo mais sujo que existe é o xadrez.
O "Bispo" come a "Rainha",
o "Cavalo" come o "Rei"
e os "Peões" ficam assistindo.

FORTUNA

A maior riqueza que eu tenho são meus amigos. Se os vendesse pelo que valem, seria o homem mais rico do mundo!

NÃO CONFUNDIR

"A OBRA DO MESTRE PICASSO" COM "A PICA DE AÇO DO MESTRE DE OBRAS"!

PROXIMIDADE

O absorvente feminino não é a melhor coisa do mundo... mas é a que está mais próxima!

NÃO CONFUNDA

Germano com gênero humano

PERGUNTINHA

A mulher do rato tem medo dele?

XALECOÇÊ

Um mineiro pedindo pra ler
o jornal com o amigo.

ACREDITE

Quando o marido pediu à esposa que lhe fizesse uma frase ruim e boa ao mesmo tempo, na hora ela falou:
— O pinto do seu patrão é menor que o seu!

PERGUNTINHA

Se a bandeira é feminina, então por que aquele pauzão?

JESUS

Jesus era um homem bom, pena que o pegaram para Cristo.

ANÚNCIO

Vendo lindo maiô recebido como herança.
Motivo: engordei pacas.
Procurar: Marylin Monroe Filha.

MULHER

A mulher é uma poesia que o
amante recita como Paulo Autran
e o marido como Tiririca.

PERNADAS

E na hora do sexo a centopeia falou pro centopeio:
– Tá bem, meu amor, eu abro as pernas...
mas qual delas?

CITAÇÕES

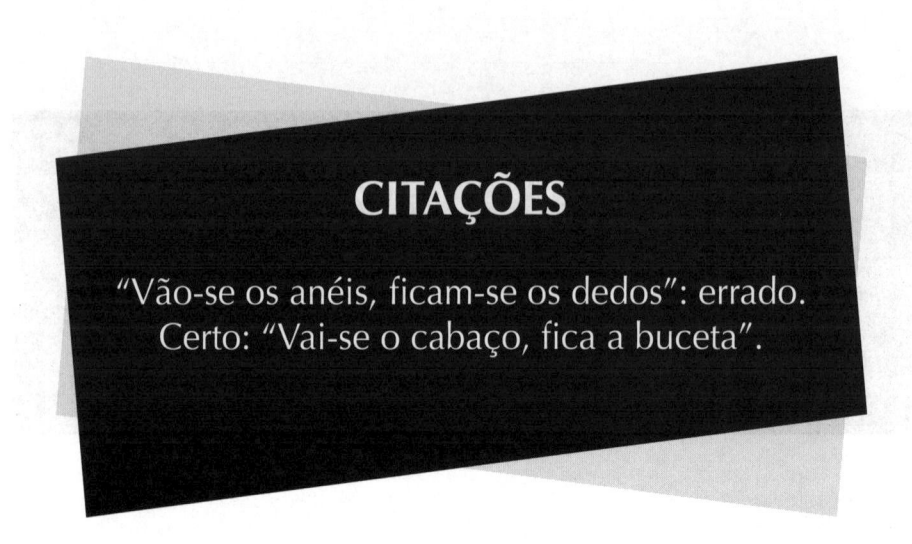

"Vão-se os anéis, ficam-se os dedos": errado.
Certo: "Vai-se o cabaço, fica a buceta".

DÚVIDA CRUEL

Quando meu amigo disse que a melhor coisa do mundo é uma boa cagada, fiquei em dúvida. Ou eu não sei cagar direito, ou ele não sabe trepar!

VIDA

Por que levar a vida tão a sério se a gente nasceu de uma gozada?

E aí a diarreia falou pro peido: vai buzinando aí que eu tô sem freio!

DIFERENÇA

Quando perguntaram pro cara qual a diferença entre a mulher, o limão e o alicate, ele estranhou. "O quê? Já estão chupando alicate também?"

VERDADE

Só em um lugar o orgasmo vem antes da trepada: no dicionário.

CARÍCIAS

O HOMEM PARA CONQUISTAR UMA MULHER PRECISA ACARICIAR TODAS AS PARTES DE SEU CORPO: AS PERNAS, AS NÁDEGAS, OS SEIOS, OS LÁBIOS E PRINCIPALMENTE AS BOCAS.

LOIRANTA

Quando o médico pediu à loiranta que ela falasse 3 vezes 33, ela fez um puta esforço e lascou: "99".

VERSINHO

Eu vou morrer afirmando
punheta é pura ilusão
tu pensa que tá trepando
e tá com o caralho na mão!

PRIMEIRO AMOR

Minha primeira namorada era um bom partido. Me lembro que ela tinha um Escort, um Tipo E umas terrinhas. Quer dizer: uns cortes na cara, um tipo de puta e umas terrinhas embaixo da unha.

MERDA DE VIDA

Adão e Eva eram masoquistas mesmo. A casa era uma árvore, a comida era uma maçã, a roupa era uma folha e ainda diziam que estavam no paraíso.

PAPO DE ÉGUA

Dizia a égua para a outra:
– O carro nunca vai substituir o cavalo.

MEDO

A aids tá causando tanto medo nas pessoas que tem nego por aí chupando xoxota de canudinho.

MUDANÇA

Os únicos órgãos da mulher que mudam de lugar depois dos 80 anos são os seios. Saem do tórax e vão para o umbigo.

DESPERDÍCIO

Toda bicha odeia omelete, porque toda vez que se faz um, são dois pintos a menos.

Por que você cagou fora?
Se podia cagar dentro?
Você tem a bunda torta?
Ou o cu fora de centro?

NEGÓCIO

E aí o gerente da joalheria disse ao cliente:
– O senhor quer uma coisa fina, legítima ou é para sua esposa mesmo?

TRADUÇÕES

AIDS em japonês: Ku-Ki-Mata
VIAGRA: Ajinomorto

PUXA-SACO

Foi aquele soldado que disse ao seu superior: "Devo acordar o general amanhã, no mesmo horário que acordei hoje o coronel?".

VERDADE

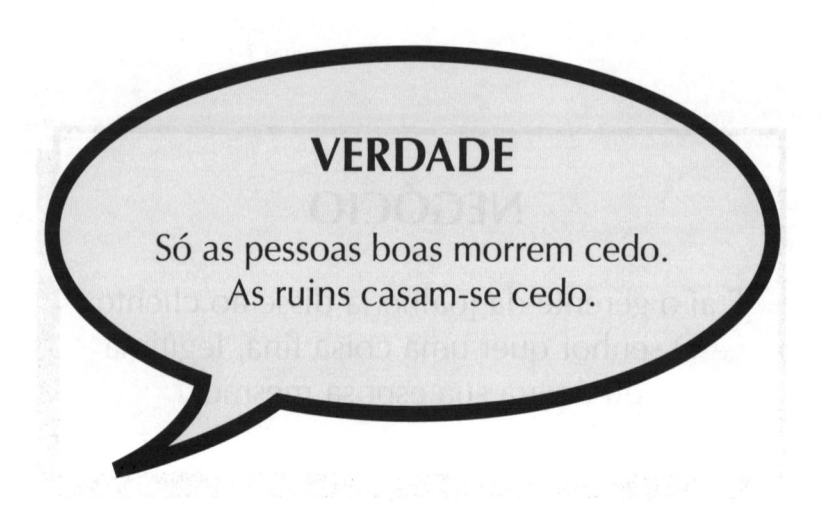

Só as pessoas boas morrem cedo.
As ruins casam-se cedo.

DECISÃO

Quando minha namorada disse:
"Ou eu ou a sua carreira", decidi na
hora, e saí em desabalada idem!

DELATOR

Como dizia o cagueta:
"É dedando que se recebe"!

GALINHAGEM

É como dizia aquela galinha pra amiga:
— Realmente, tô ficando velha. Olha só o pé de mulher que está nascendo no canto dos meus olhos.

FUMO

Adoro fumar cachimbo porque depois dá uma vontade danada de fumar um cigarrinho.

VELHO DITADO

O homem que é diabético não come mulher que faz cu doce.

VERSOGRAFIA

Morreu minha sogra russa,
que eu tanto detestava
seu nome era Soestrova
agora é Soestrovava.

DOENÇA

Nunca fiquei doente, só tive no hospital uma vez por causa da minha mãe. Foi quando ela me teve!

MEDICINA

E como dizia o médico na porta do cemitério:
— Aí dentro há muita gente que deve a mim a sua posição.

MATANÇA

Ontem matei 5 moscas, 2 fêmeas e 3 machos. As fêmeas estavam no telefone e os machos na garrafa de cerveja.

GOSTO

Tem gente que gosta de ostra com sal, outros com limão. Eu já gosto com pérola!

VELÓRIO

Quando alguém no velório disser: "Ele foi pra uma melhor". Pergunte se ele quer trocar com o defunto.

RISO

O casalzinho riu tanto no cinema, que quando terminou a comédia, um tinha mijado na mão do outro.

DUREZA

A puta é a única profissional que pode dizer de boca cheia que não ganha dinheiro no mole.

BONDADE

Ele era tão bom, mas tão bom, que quando morreu até o dono da funerária chorou.

MEU TEMPO

Sou do tempo que fumar
um cigarro era charmoso
do tempo em que flertar
no jardim era gostoso
o sexo era seguro
e o avião perigoso.

CASAMENTO

O casamento é uma piscina de água hiper-fria em que
o tonto entra, e depois fica falando para o amigo:
— Vem, a água está ótima!

FALSIDADE

Odeio a falsidade, principalmente
a do dólar.

HERANÇA

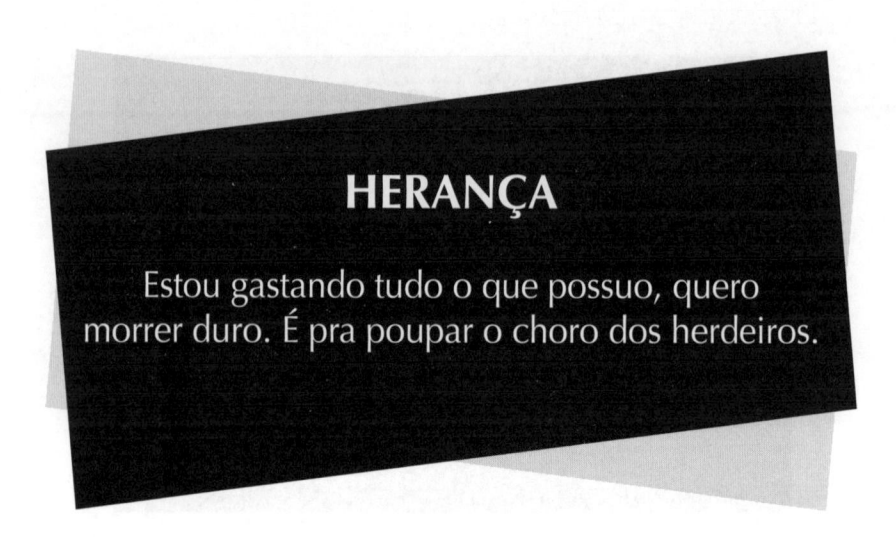

Estou gastando tudo o que possuo, quero morrer duro. É pra poupar o choro dos herdeiros.

CULINÁRIA

Receita para fazer frango à mensaleiro. Você rouba o frango e faz do jeito que quiser!

VERSINHO
(pra Marly)

Só vou deixar de te amar
como nunca amei ninguém
quando o saci-pererê
cruzar as pernas, meu bem.

VELHICE

É verdade. Junto com a velhice vem o esquecimento. Conheço pessoas por aí com quase cem anos que esqueceram de morrer.

PRISÃO

Sou a favor da prisão perpétua, mas com mais dez anos por medida de segurança.

VIDA

Os cientistas dizem que não há vida possível em outros planetas, e neste?

MANDARIM

O chinês é um idioma muito difícil.
Em chinês eu só aprendi falar: "HEMORROIDA",
que significa "KUN-SHAI-SHANG"

ACREDITE

Naquela cidade tinha tanto corno que se chovesse argola não caía uma no chão.

CONSELHO

Vamos curtir bem a vida porque vamos ficar muito tempo mortos.

SEM VIDA

A vida é uma comédia.
Pena que não saímos dela com vida.

CAFÉ

**TOMAR CAFÉ É QUE NEM TOMAR NO CU.
A GENTE SÓ SABE SE ESTÁ BOM
QUANDO ESTÁ TOMANDO.**

GUILHOTINA

Muitos foram parar nela,
porque perderam a cabeça.

CRIAÇÃO

A flor é a coisa mais
sublime que Deus criou.
Numa flor não se deve bater
nem com uma mulher!

BRIGAS

A pior briga de casal é a briga depois
da briga, pra saber quem começou a briga.

TRABALHO

**Trabalho enche o saco. Jesus provou
isso quando completou 12 anos.**

CASAIS

Tem casais que gostam de dormir em camas separadas, outros preferem quartos separados. Eu já prefiro países diferentes.

LOIRANTA

A loiranta na loja de calçados:
– Esse Luiz XV tá muito apertado... me traz um Luiz XVI.

ASSIM ESTAVA ESCRITO

No túmulo da esposa:
"Agora ela e eu descansamos em paz".

SEXO

Nos dias de hoje, é bobagem a mulher fazer ultrassom para saber o sexo do bebê. Quando crescer ele é quem vai escolher!

BORBA GATO

Grande personalidade
grande brasileiro
grande paulistano
atrapalhando o trânsito
na av. Santo Amaro.

VAIDADE

AQUELA MULHER ERA TÃO VAIDOSA QUE PASSAVA BATOM ATÉ NOS GRANDES LÁBIOS.

FIO DENTAL

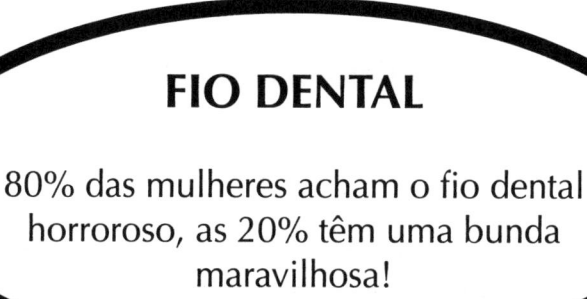

80% das mulheres acham o fio dental horroroso, as 20% têm uma bunda maravilhosa!

AMOR

O amor é uma coisa tão linda que é uma pena desperdiçá-lo com o casamento.

PERGUNTINHA

Sabe qual é a melhor trepada do mundo? A 120. É a 69 com uma garrafa de 51 enfiada no rabo!

NECROLOGIA

Se todos os anúncios fúnebres nos deixassem tristes, o mundo seria diferente.

DIFERENÇA

A diferença entre a pizza e a puta é que a pizza só dá pra oito.

ECOLOGIA

A frase mais odiada pelos ecologistas é: "A fé remove montanhas"!

CARNAVAL

Para o brasileiro, a melhor companheira para brincar o carnaval é a Jontex.

PAREDE

Porta de português apressado.

CUMPRIMENTO

Você sabe como se cumprimenta um monstro de duas cabeças?
É assim: Oi... Oi!

TARTARUGA

INVASÃO

Aquele cara era tão sujo, que tinha gente do MST querendo invadir as terrinhas que ele tinha debaixo das unhas.

LEITURA

A Playboy é uma revista que os adolescentes compram pra ler com as mãos.

PROGRAMA DE TV

A última opção de um domingo chuvoso.

ABUNDÂNCIA

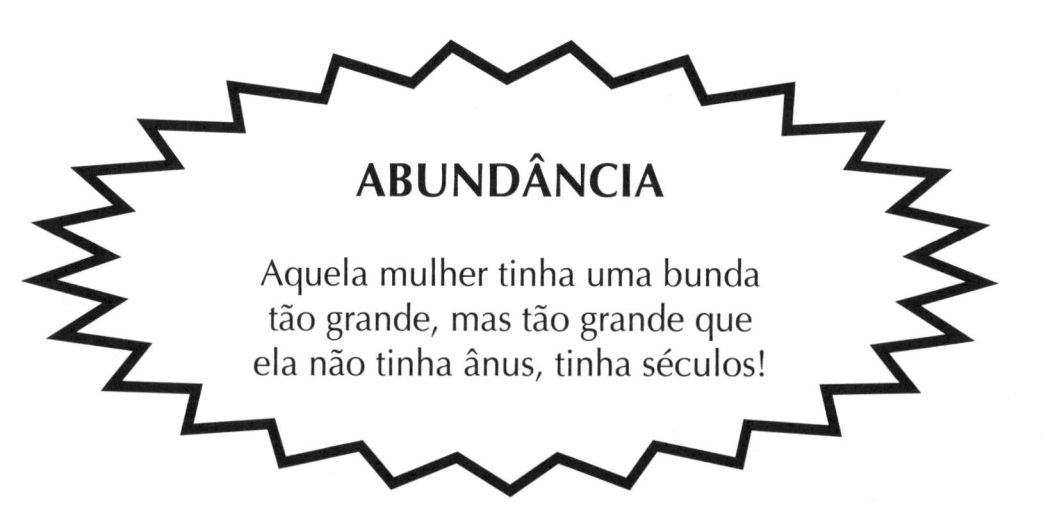

Aquela mulher tinha uma bunda tão grande, mas tão grande que ela não tinha ânus, tinha séculos!

ACREDITE

Miami, uma cidade ótima para se conhecer as Américas do Sul e Central.

PERGUNTINHA

E aí a pulga perguntou pra outra: "Será que existe vida em outro cachorro?".

VELHO DITADO

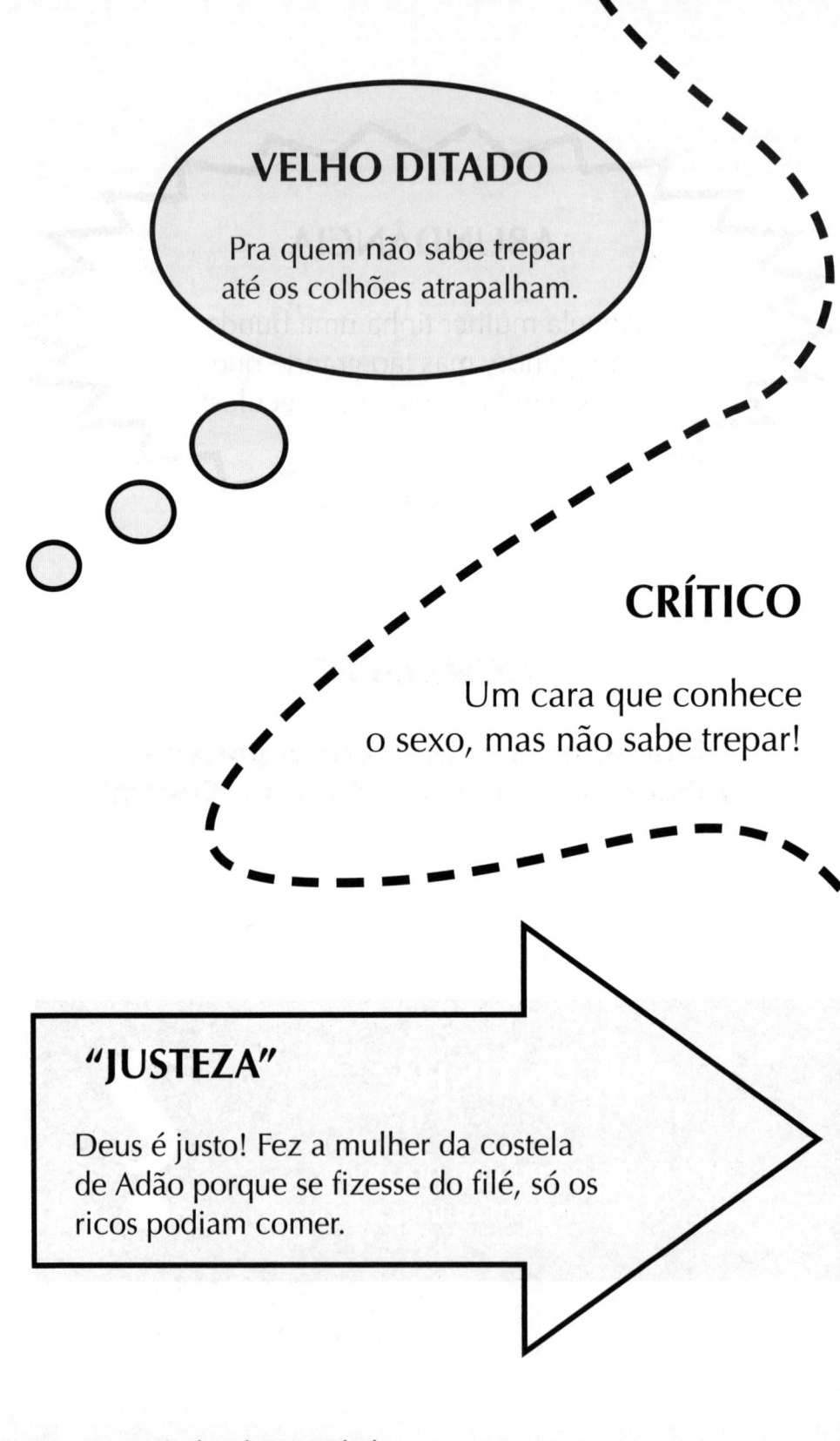

Pra quem não sabe trepar até os colhões atrapalham.

CRÍTICO

Um cara que conhece o sexo, mas não sabe trepar!

"JUSTEZA"

Deus é justo! Fez a mulher da costela de Adão porque se fizesse do filé, só os ricos podiam comer.

SÓ PRA QUEM PEDE

É como dizia a bicha para a outra: "Cu e conselho a gente só dá pra quem pede".

MINISSAIA

"Abajur de bunda."

SEXO

O sexo sempre nos oferece surpresas. Ontem, por exemplo, descobri um tal de "papai-mamãe", de luz apagada que é sensacional.

PERGUNTINHA

Meteorologia é o ato de trepar de acordo com as condições do tempo?

GOZAÇÃO

A verdadeira falsidade é uma puta ouvindo um CD pirata, tomando um uísque paraguaio e dizendo ao cliente que vai gozar com ele.

CONFIANÇA

Hoje em dia, confiança mesmo, a gente só encontra em um casal de canibais fazendo sexo oral.

CAVALHEIRO

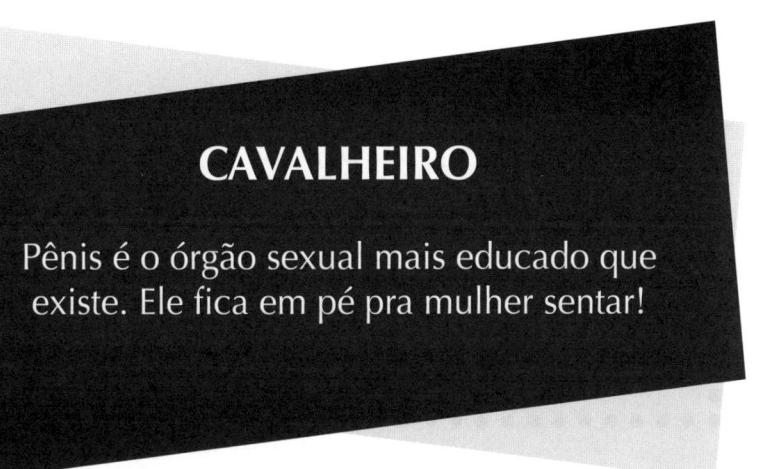

Pênis é o órgão sexual mais educado que existe. Ele fica em pé pra mulher sentar!

FANTASIA

No carnaval, a fantasia mais barata é a de coxinha: joga azeite no corpo, rola na areia, enfia um cabo de vassoura no cu e sai pulando por aí.

MÚSICO

O bom músico é aquele que cai em SI,
DO LÁ DO DO SOL FÁ.

EX

Não critique a ex-mulher do seu marido, se não fosse ela, ele não estaria com você.

ESTERILIDADE HEREDIÁRIA

Se seus pais não tiveram filhos, é bem provável que você também não os tenha!

AUTORIDADE

Os funcionários do Silvio Santos sempre trocam ideias com ele, isto é: "Levam as suas e voltam com as dele".

COMISSÁRIAS

As aeromoças são mulheres inteligentíssimas, pegam tudo no ar!

CINEMA

Num filme pornô os atores são escolhidos a palmo e as atrizes a dedo!

LOIRANTA

Quando o médico disse pra loiranta que ela estava com a doença de chagas porque tinha sido chupada por um barbeiro, ela reagiu:
– Filho da puta, ele me disse que era economista.

FLAGRANTE

Quando a mãe entrou no banheiro e viu o menino se masturbando, logo ouviu: "Saia daqui, mamãe, que isso espirra!".

O LADO BOM

Se um passarinho cagar na sua cabeça, não xingue. Pense no lado bom das coisas, já imaginou se as baleias voassem?

PREFERÊNCIA

Tenho certeza de que Jesus me ama, mas eu preferia a Penélope Cruz.

AMIGO

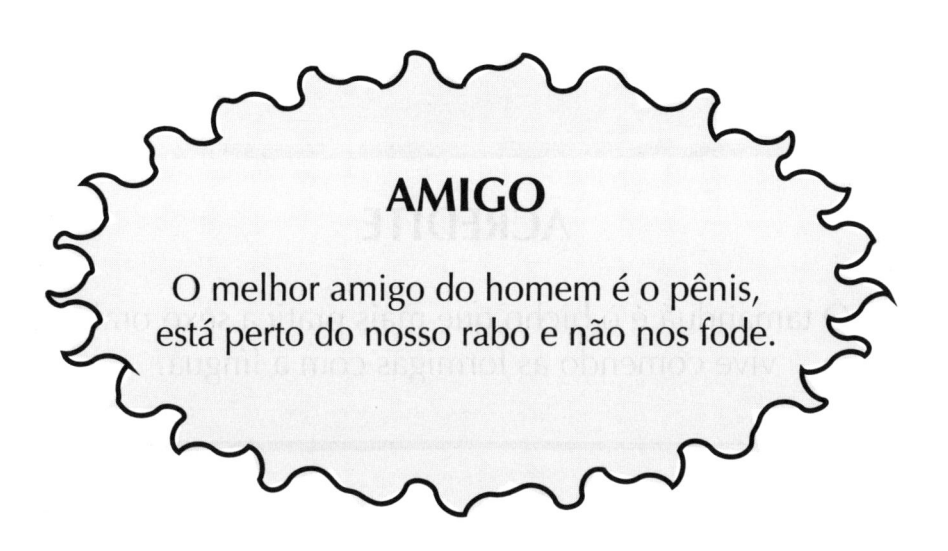

O melhor amigo do homem é o pênis, está perto do nosso rabo e não nos fode.

DEUS

**COMO DIZIA UMA BICHA PRA OUTRA:
— DEUS VAI ENTENDER NOSSA OPÇÃO.
DEUS É BOA, DEUS É JUSTA!**

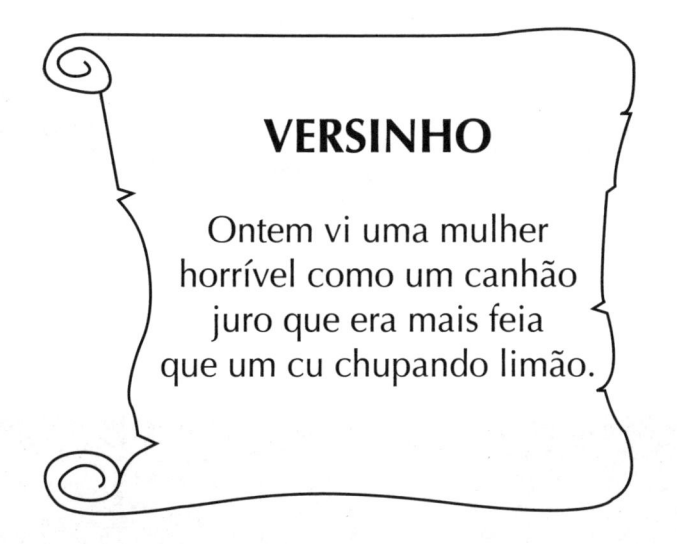

VERSINHO

Ontem vi uma mulher
horrível como um canhão
juro que era mais feia
que um cu chupando limão.

ACREDITE

O tamanduá é o bicho que mais pratica sexo oral, vive comendo as formigas com a língua.

ORAL

O elefante é que é feliz. Quando faz sexo oral deixa a elefanta louca.

MEIA-CALÇA

CONSELHO AOS IDOSOS

Cuidado com o cupim, ele gosta muito de pau velho.

SEMELHANÇA

A mulher bronzeada é que nem galinha assada, as partes brancas são as melhores.

AUTÓPSIA

Ato praticado por um assassino, que assassina um assassinado e assina.

VELHO DITADO

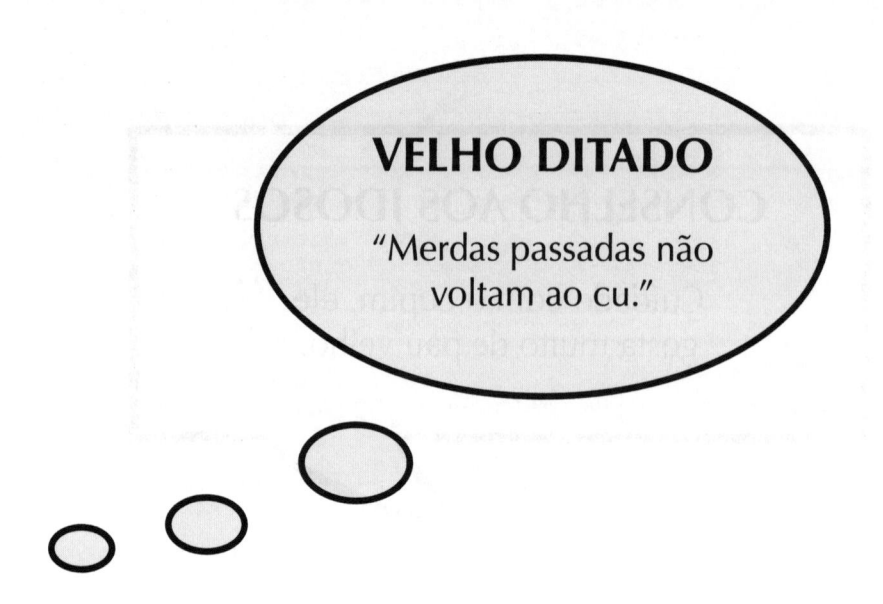

"Merdas passadas não voltam ao cu."

MINIATURA

O menor galinheiro do mundo é a camisinha, só cabe um pinto.

VERSINHO

Eu digo isto contente
porque é sensacional
a xana nasceu sem dente
pra não morder nosso pau.

MUNDO

O mundo é redondo, mas tem muita gente fazendo de tudo para torná-lo quadrado.

ALIANÇA

A carteira de identidade dos incautos.

PERGUNTINHA

Lampião era um homem que tinha luz própria?

ALARME

O ALARME É UM ACESSÓRIO QUE EXIGIMOS QUE SEJA BOM, MAS NÃO QUEREMOS QUE FUNCIONE.

PERGUNTINHA

Os cegos sentem amor à primeira apalpada?

VAMPIRO

Quando o vampiro bateu na janela da moça exigindo sangue, ela respondeu: "Passe dia 28".

VELHO DITADO

Em casa de Saci uma calça dá pra dois.

TURISMO

Se quem tem boca vai a Roma, imagine as mulheres que têm duas.

CEBOLA

A única coisa que faz uma mulher chorar de verdade.

TUMOR

É muito maligno falar a uma pessoa que ela tem um tumor benigno!

INTERFERÊNCIA

Interferência na televisão é quando durante a partida de futebol a mulher grita:
– Como é... vocês vêm ou não almoçar?

DINHEIRO

CALOR HUMANO

O calor humano é muito bom...
o chato é o cheiro!

VELÓRIO

NO VELÓRIO TINHA UMA MULHER TÃO GOSTOSA, MAS TÃO GOSTOSA, QUE A TAMPA DO CAIXÃO DO DEFUNTO NÃO FECHOU!

VELHO DITADO

A galinha que vai atrás de pato morre afogada!

PERGUNTINHAS

Se a Rua Direita é torta,
por que a chamam de Direita?

Por que o homem só lava a mão
depois e não antes de fazer xixi?

Por que os kamikazes
usavam capacete?

Por que na cidade de
Pau Grande só tem japonês?

PRAGA

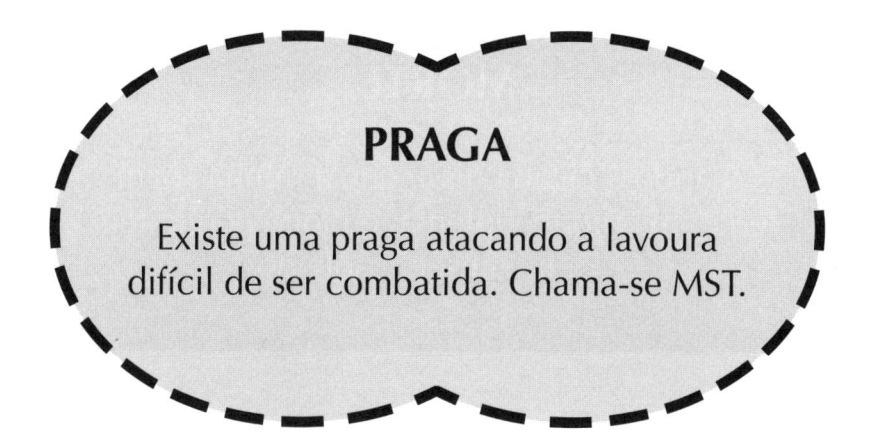

Existe uma praga atacando a lavoura difícil de ser combatida. Chama-se MST.

MORCEGO

Um rato que entrou para a aviação.

BELEZA

Angelina Jolie é linda, maravilhosa, mas muito porca! Não toma banho. Pelo menos eu nunca a vi embaixo de um chuveiro.

MORTE

Quando a cigana disse que a minha sogra teria uma morte violenta, eu logo perguntei:
– E eu vou ser absolvido?

VELHO DITADO

Mulher de amigo meu é que nem cebola, como chorando.

MÉTODO BRAILE

Quando o ceguinho chegou em casa e passou a mão no ralador, pensou:
– Nossa, que livro violento!

COMIDA

Quando o leão viu aquele soldado da idade média com aquela armadura de metal, pensou: "Ai, cacete, carne enlatada outra vez".

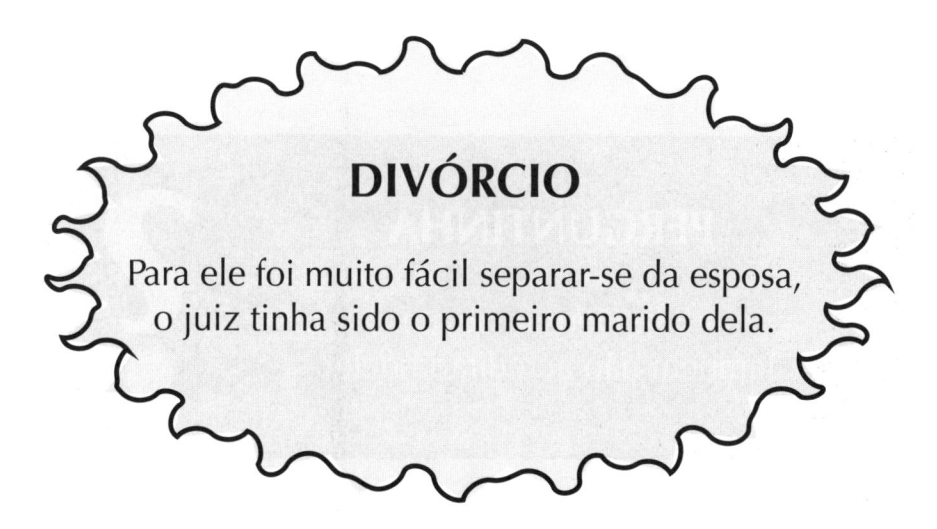

DIVÓRCIO

Para ele foi muito fácil separar-se da esposa, o juiz tinha sido o primeiro marido dela.

PIADA

Não existe piada sem graça, o que existe é piada que o Jô ainda não contou para o Bira.

DIETA

A melhor dieta para emagrecer é o café com lima.
Pegue uma lima, amole a enxada e comece a carpir café.
O resultado é estupendo!

PERGUNTINHA

– E se Deus fosse ateu?
Também não acreditaria nele?

CASAMENTO

Existem dois tipos de casamento:
o que a gente acaba e o que acaba
com a gente.

CORRUPÇÃO

Outros corruptos surgirão, tem muita gente talentosa por aí sem oportunidade.

SUPOSITÓRIO

Um idiota entra naquele lugar e ainda se derrete todo.

PARA PENSAR

Se Jesus, ao invés de crucificado tivesse sido guilhotinado, a guilhotina teria a mesma adoração da cruz?

NÃO CONFUNDA

"Bife a milanesa" com "bife aqui na mesa".

MULHER

É que nem pênalti mal batido, um chuta, outro cata!

PERGUNTINHA

A capital das Ilhas Virgens é Cabaço?

RODEIO

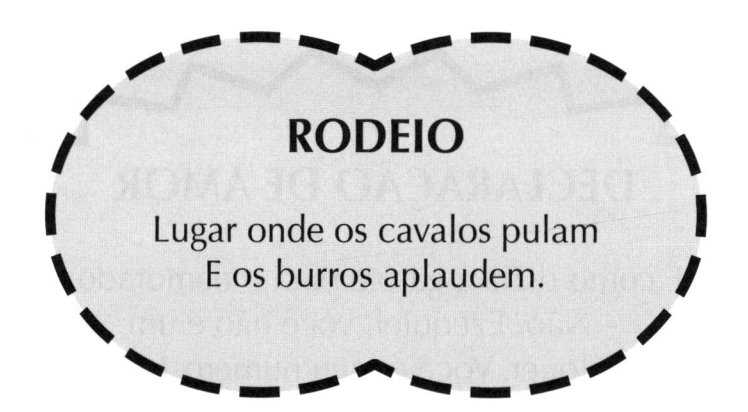

Lugar onde os cavalos pulam
E os burros aplaudem.

ESTRÁBICO

Um vesgo rico.

CINEMA E TEATRO

Ator de cinema: "um trapezista que trabalha com rede de proteção".
Ator de teatro: "um trapezista que trabalha sem rede de proteção".

DECLARAÇÃO DE AMOR

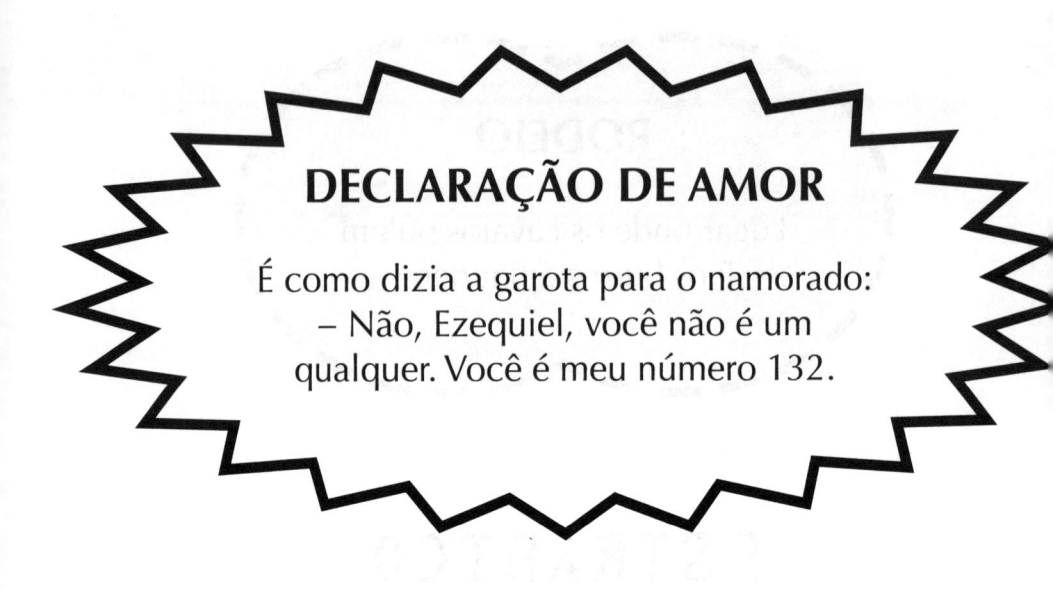

É como dizia a garota para o namorado:
– Não, Ezequiel, você não é um qualquer. Você é meu número 132.

IGNORÂNCIA

Ele era tão ignorante que até para falar com os seus botões precisava de intérpretes.

DIZER

Se você disse que eu disse e eu disse que não disse, foi você quem disse. E não eu quem disse o que você disse que eu disse.

MULHER FRIA

Não existe mulher fria.
O que existe é homem
com mal aquecedor!

LOIRANTA

E dizia a loiranta: – Filho, desce aqui pra baixo, que eu vou repetir mais uma vez pra você, o que é "preonasmo".

PSIQUIATRA

É a última pessoa com quem falamos, antes de falarmos sozinho.

MULHERES

As mulheres são como as ações da Bolsa, existem as preferenciais e as ordinárias.

LATIM

Uma língua graças à qual uma bobagem passa por inteligente.

NUTRIÇÃO

Para a mulher, o alimento mais nutritivo é o pênis. Tem carne, tem leite, tem ovos, e se consumido com prazer, enche a barriga por nove meses.

TEMPORADA DE CAÇA

Período em que a Lei permite que os animais se matem entre si.

MARIDO

É QUE NEM MENSTRUAÇÃO. QUANDO CHEGA INCOMODA, QUANDO ATRASA PREOCUPA.

AMIGOS PARA SEMPRE

– Se eu comer a sua mulher, ficamos inimigos?
– Não.
– Então ficamos amigos?
– Também não.
– Então como é que ficamos?
– Ficamos quites.

TENTAÇÃO

Tenho muita pena de certos políticos, afinal de contas, não deve ser nada fácil suportar a tentação da honestidade.

Vinho

Acredite, o único vinho que não contém álcool é ovinho de codorna

CONSELHO AOS MÚSICOS

Não confie tanto no diapason. Lembre-se, o inventor dele o afinou de ouvido.

PERGUNTINHA

O que é? O que é?
É comprido, duro, tem pelo,
entra e sai do buraco?
É a escova de dentes, seu malicioso!

REMETER

Fazer amor outra vez.

CORPO HUMANO

Se eu fosse Deus, fazia a mulher nascer com a bunda na frente e os seios atrás. Pra sentar seria horrível, mas pra dançar...

DOENÇA

Quando ficamos velhos, somos atacados por uma doença terrível: PVC (Porra da Velhice Chegando)

PERGUNTINHA

Quem tem língua presa faz sexo oral?

VERSINHO

Paulista sem Pau é lista
paulista sem Lista é pau
tirando o pau do paulista
paulista fica sem pau.

COMPENSAÇÃO

Deus compensa tudo. Ele deu à sereia um corpo perfeito pra compensar a falta da xereca.

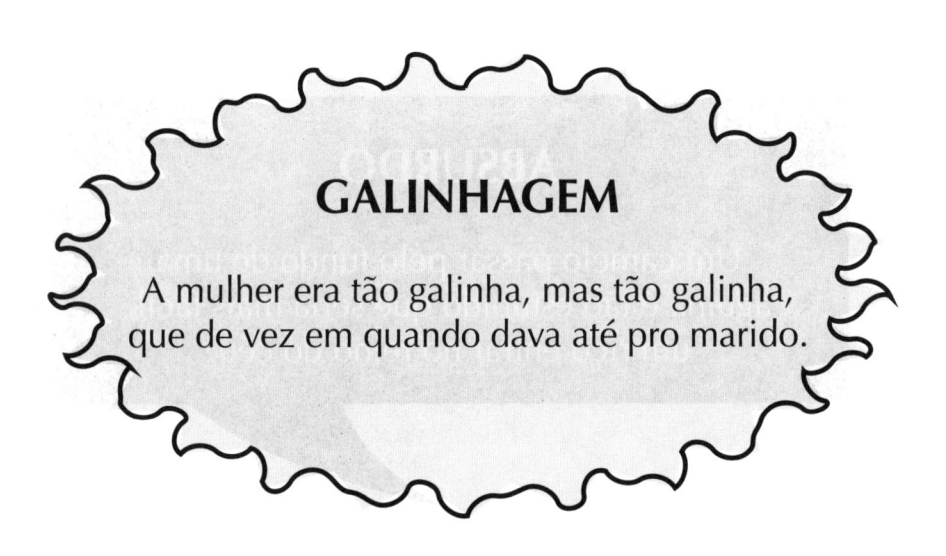

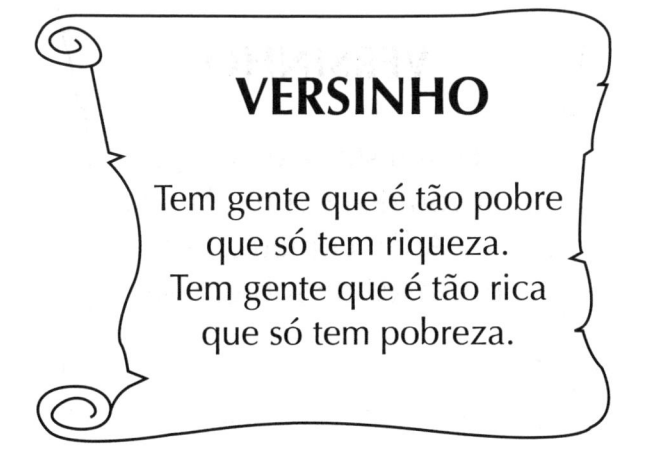

GALINHAGEM

A mulher era tão galinha, mas tão galinha, que de vez em quando dava até pro marido.

VERSINHO

Tem gente que é tão pobre
que só tem riqueza.
Tem gente que é tão rica
que só tem pobreza.

FUTEBOL

É muito simples.
Quem complica é o adversário!

ABSURDO

Um camelo passar pelo fundo de uma agulha é tão estúpido que seria mais fácil, um rico entrar no reino do céu.

VERSINHO

Essa história da maçã
eu vou dizer com clareza
o Adão comeu a Eva
e a maçã de sobremesa.

PREOCUPAÇÃO

A grande preocupação das garotas de hoje é não deixar o namorado descobrir que ela é virgem.

RONCO

A diferença entre a cuíca e a cueca é que a primeira ronca e a segunda ouve o ronco.

PUXA-SACO

Era tão puxa-saco que quando o patrão perguntou:
— Esse menino é seu filho?
Ele respondeu:
— É nosso!

ACREDITE

O purgante é o melhor remédio contra a tosse, todos que o tomam, jamais se atrevem a tossir.

HÓSTIA

O laxante dos pecados.

CONQUISTA

Dizem as mães para as filhas que os homens são conquistados pelo estômago, já os pais dizem aos filhos que as mulheres são conquistadas pelas bocas.

GRANDES CRIMES DA HUMANIDADE

BRUTUS MATOU CÉSAR
CAIM MATOU ABEL
ESPER MATOU ZOIDE.

ACREDITE

Método infalível para emagrecer: você corta o arroz, corta o feijão, corta o doce, corta as massas e corta os pulsos!

POLÍTICA

Jamais seria político.
Nunca entraria para um partido que se interessasse por alguém como eu.

MULHERES

Não sei por que, mas quando duas mulheres se beijam me faz lembrar dois lutadores se cumprimentando antes da luta.

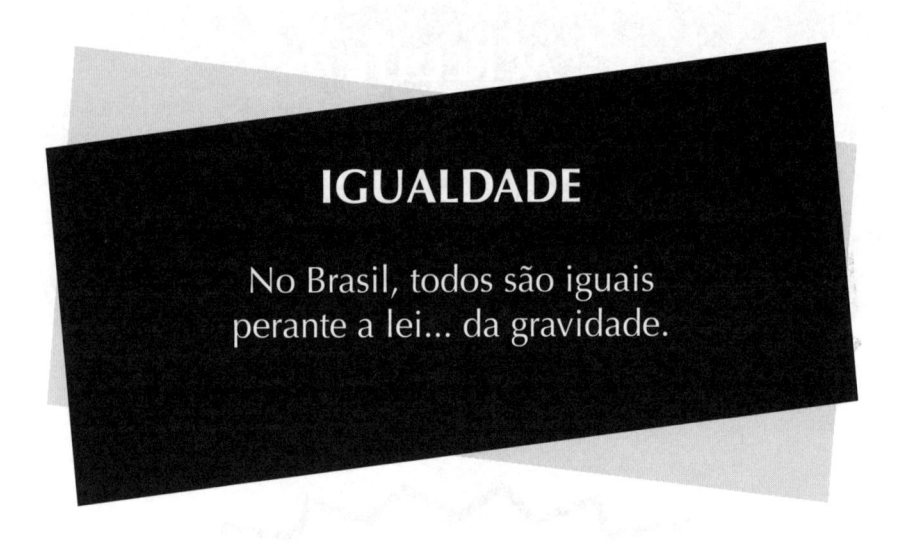

IGUALDADE

No Brasil, todos são iguais perante a lei... da gravidade.

CIÚME

Eva era uma mulher tão ciumenta que toda vez que Adão chegava tarde em casa, ela imediatamente contava as costelas dele.

NADA

O nada é nada mais nada menos, que um óculos sem as lentes faltando a armação.

SUGESTÃO AO GOVERNO

Decrete o Imposto único, só o Silvio Santos paga.

VELHINHAS

Existem três tipos de velha:
Essa boa velha.
Essa velhinha simpática.
Essa velha filha da puta.

GRANA

"Minha mulher fez de mim um milionário", dizia o ex-bilionário ao amigo.

INFIDELIDADE

O homem que tem amante se assemelha ao jogador de futebol, pode a qualquer momento perder a posição de titular e passar pra reserva.

MACHISMO

É como dizia a feminista pro marido:
— Se eu não estivesse menstruada eu te mostrava quem é o homem da casa.

ACREDITE

Está provado que as pessoas engordam porque comem com os olhos. Por acaso você já viu algum cego gordo?

VIRGINDADE

Virgindade não é pênalti... pode perder!

PESSIMISMO

Não há dúvida, pessimista é o sujeito que no reveillon diz aos amigos:
– Este ano foi muito melhor que o ano que vem.

FEALDADE

Era tão feia que toda vez que viajava de navio, o mar é que sentia enjoo.

LOIRANTA

Coitada da loiranta.
Foi pagar o Imposto de Renda na fonte e morreu afogada!

VISUAL

Quando o cabeleireiro perguntou pra bicha como queria que cortasse o cabelo, ela lascou:
— Na frente, franjinha, e atrás pica bastante!

CONSULTÓRIO DENTÁRIO

Único lugar onde o homem casado tem o direito de abrir a boca.

SUICÍDIO

A cúmulo da autocrítica!

ANJO

Apelido que damos à nossa esposa durante a lua de mel.

PRISÃO

Você sabia que em Portugal todos os prisioneiros pagam aluguel da cela e quando não o fazem são sumariamente despejados?

CONSELHO

Não falte ao trabalho, seu patrão pode descobrir que não precisa de você!

DINHEIRO

A VERDADEIRA MAQUIAGEM DAS PESSOAS FEIAS.

COMPLEXO DE ÉDIPO

Eu tenho, mas pela mãe dos outros!

PERGUNTINHA

Ovário por acaso é uma cesta onde se guarda os ovos?

PEDIDO

Quando o galo disse pra galinha que ia até a cidade, ela pediu: "Querido, traz uma dúzia de ovos, que estou tão cansada!"

TIMIDEZ

O CARA ERA TÃO TÍMIDO, MAS TÃO TÍMIDO QUE EM VEZ DE PERGUNTAR AS HORAS ELE ROUBAVA O RELÓGIO.

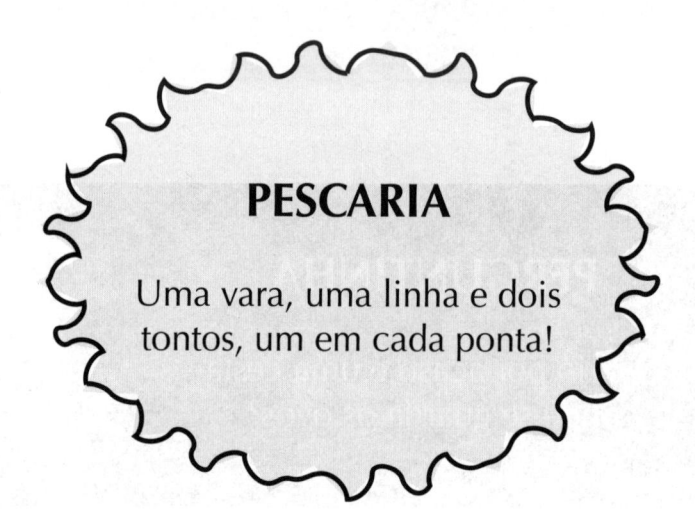

PESCARIA

Uma vara, uma linha e dois tontos, um em cada ponta!

PRAGA

Diz o papa que o segundo casamento é uma praga... e o primeiro???

VER**SOGRA**FIA

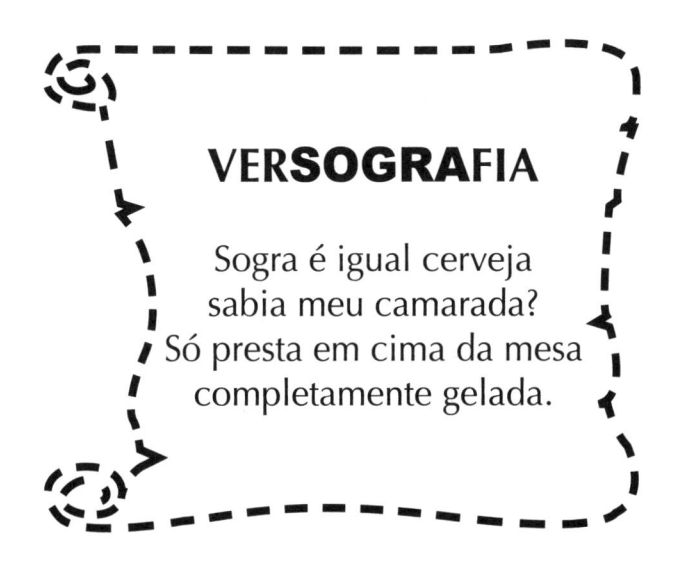

Sogra é igual cerveja
sabia meu camarada?
Só presta em cima da mesa
completamente gelada.

RISO

**Chato para o humorista é quando quem
ri por último está sentado na primeira fila.**

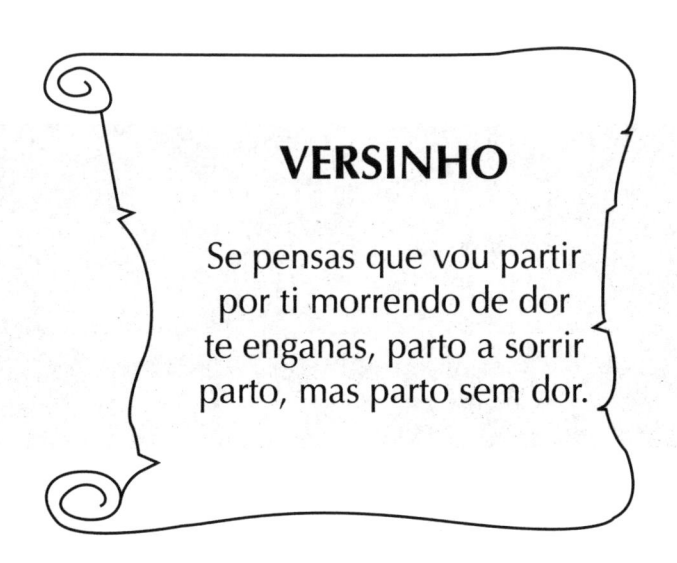

VERSINHO

Se pensas que vou partir
por ti morrendo de dor
te enganas, parto a sorrir
parto, mas parto sem dor.

TÉCNICO DE FUTEBOL

Depois da vitória: "meu time não tem titulares nem reservas".
Depois da derrota: "também meu time jogou sem 5 titulares".

VELHICE

Era tão velho que o era do tempo que o Pão de Açúcar era cupim.

CANTIGA DE RODA

Era tão bicha, mas tão bicha, que quando criança cantava sempre assim:
– Me "atirei" no pau do gato tô tô...

ATRIZ ATROZ

A atriz tava puta da vida na noite de estreia. Só recebeu 15 telegramas dos 20 que ela passou.

NOVA GRAFIA

Escreva sempre "supositório" com "C" ... fica mais lógicu!!!

BRONCA

E quando a carneirinha antes da transa falou pro carneirinho que ele tinha pouca lã, ele já bronqueou:
— E nós viemo aqui pra trepar ou fazer tricô?.

CHÁ DAS CINCO

Aquela inglesa era masoquista mesmo, toda a tarde tomava "chá com porrada".

DESAFIO

Dizem que o faquir fica 40 dias sem comer, em cima de uma cama de prego. Grande merda, quero vê-lo com mulher e seis filhos viver de salário mínimo!

VERSINHO

Meu avô sempre dizia
este ditado perfeito
com calma e com vasilina
se come o cu do sujeito.

PEQUENO NOTÁVEL

Segundo as japonesas, pequeno notável é o pinto do japonês.

ABUNDÂNCIA

E aí o formigão comendo a rabo da elefanta, disse:
– Hectares e hectares de bunda toda minha!

A MULHER E A BOLA

Aos 20 anos a mulher é uma bola

de futebol, 22 correndo atrás dela.

Aos 30 é uma bola de basquete,

10 correndo atrás dela.

Aos 40 é uma bola de golfe,

1 correndo atrás dela.

E aos 50 é uma bola de pingue-pongue,

um empurrando pro outro.

"PORNOGRAFISTA"

O cara gostava tanto de palavrão que
quando perguntaram a ele o que
era uma locomotiva, ele lascou:

É uma caralhada de ferros,
presos por uma porrada de parafusos,
desenvolve uma velocidade filha da puta e
quem ficar na frente se fode todo.

CASAMENTO

Antônimo de liberdade.

VERSINHO

Daria graças a mim
se acaso eu fosse Deus
daria graças a mim
só pra foder os ateus.

AMANTE E ESPOSA

A diferença entre as duas é que a amante passa a mão no cabelo da gente e o pau fica em pé, a esposa passa a mão no pau, o cabelo fica em pé!

VELHO DITADO

Jacaré que cochila vira bolsa.

SEXO

NA PRIMEIRA TREPADA SENTIA CALOR, NA SEGUNDA FRIO. MOTIVO: DAVA UMA NO INVERNO E OUTRA NO VERÃO.

PARTEIRA

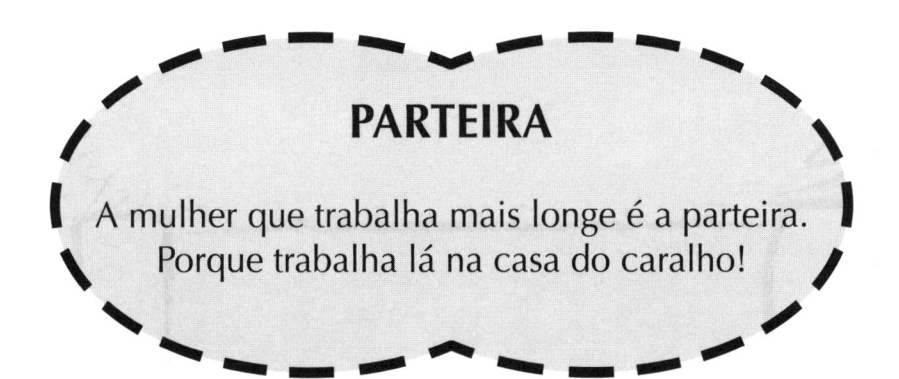

A mulher que trabalha mais longe é a parteira.
Porque trabalha lá na casa do caralho!

CASTIGO

O maior castigo que eu conheço
aconteceu com um amigo meu.
Era bicha e se formou em ginelocogia.

PROFISSÃO

Entre o pugilista e a puta há algo em comum.
O primeiro prefere dar do que receber;
a outra é exatamente o contrário.

Não gosto de cagar duro
porque a força é profunda
e quando a bosta cai na água
a água me molha a bunda.

Av. PAULISTA

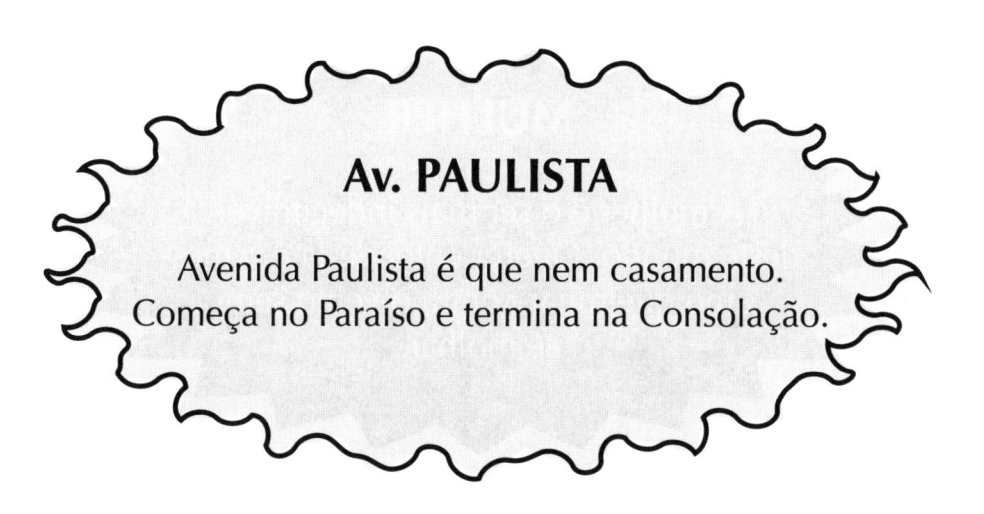

Avenida Paulista é que nem casamento. Começa no Paraíso e termina na Consolação.

LUA DE MEL

A brisa gostosa que antecede a tempestade.

NEGÓCIOS

Quando o diretor da fábrica disse ao vendedor que o consumo do papel higiênico tinha sido de oitenta rolos por cabeça, este perguntou assustado: "Como por cabeça?".

MULHER

A mulher é o ser mais indecifrável deste mundo. Querer entendê-la é o mesmo que mijar contra o vento sem se molhar.

ACREDITE

O baiano é tão devagar que pra subir numa árvore ele deita na semente dela e espera crescer.

"EINSTEINTIVIDADE"

Einstein tinha razão, tudo é relativo. Por exemplo, a doença da gente é a saúde do micróbio.

Cagar é a lei do mundo
cagar é lei do universo
cagava Pedro Segundo
cagando fiz este verso.

UROLOGISTA

Médico que, quando vai examinar o pau do paciente...
olha com desprezo
pega com nojo
e cobra como se estivesse chupado

LUA DE MEL

Prólogo divertido de uma peça chata.

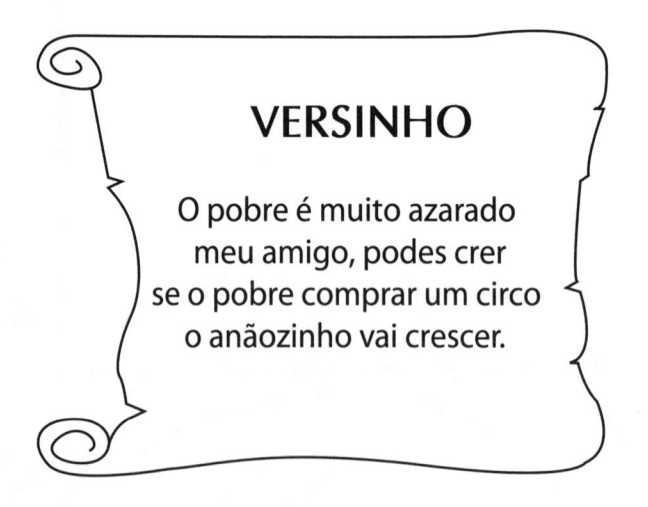

VERSINHO

O pobre é muito azarado
meu amigo, podes crer
se o pobre comprar um circo
o anãozinho vai crescer.

IMAGEM

Senhores políticos, fiquem tranquilos que a imagem de vocês está ótima... o que tá ruim é o som!

MOCINHO E BANDIDO

E na frente do saloon, o mocinho disse ao bandido:
– Conte até cem, Billy, esqueci meu revólver em casa!

PORNOXOXOTA

O filme era tão pornográfico, mas tão pornográfico, que deixou perplexo o ginecologista.

AZAR

Aquele cara era azarado mesmo, sua esposa teve trigêmeos, pesando 4,5 kg cada um e não foi cesariana!

HOSPITAL

O hospital me faz lembrar frigorífico, mas com uma diferença: no frigorífico, mata-se primeiro para depois cortar.

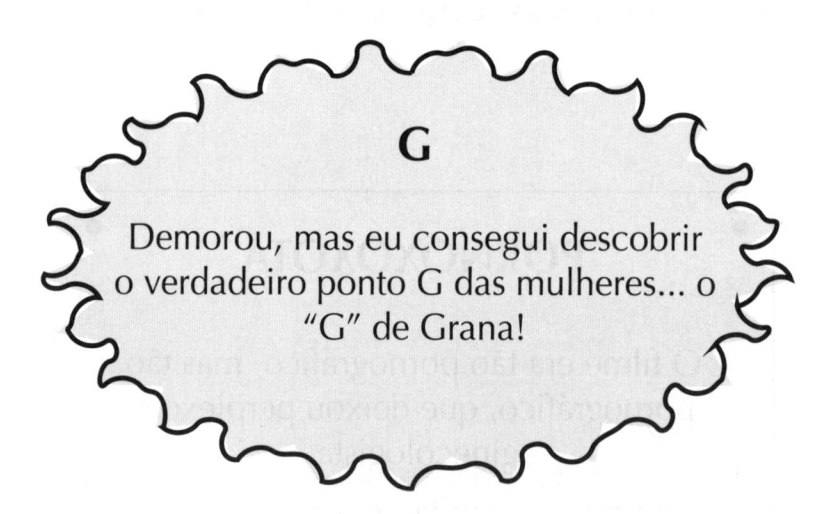

G

Demorou, mas eu consegui descobrir o verdadeiro ponto G das mulheres... o "G" de Grana!

CLITÓRIS

É O APERITIVO DO JANTAR.

ACREDITE

A situação tá tão difícil que tem nego levando a esposa na zona só pra não ter que pagar mulher!

COLONIZAÇÃO

Eu sou colonizado culturalmente. Gosto de música americana justamente por não entender nada do que elas dizem.

"INGUINORÂNCIA"

Era tão burro, mas tão burro, que a protetora dele era a "Santa Ignorância"!

PRESENTE

Ela só queria de presente um televisor, mas ganhou um anel de brilhantes. Motivo: estava muito difícil encontrar um televisor falso.

QUILATE

Diamante é um bom nome para cachorro.

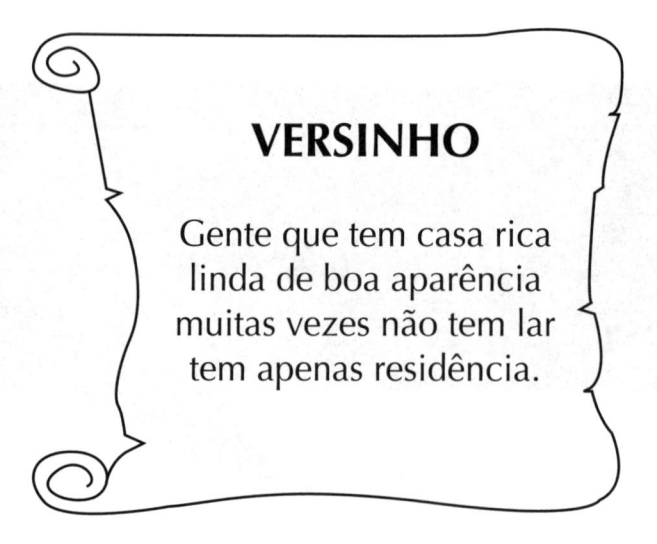

VERSINHO

Gente que tem casa rica
linda de boa aparência
muitas vezes não tem lar
tem apenas residência.

CONSELHO

Não encha o saco do seu marido.
Afinal, se ele não tivesse esses defeitos,
teria arrumado uma esposa melhor.

PERGUNTINHA

O espirro, por acaso, é uma
tempestade subnarina?

ESTUDO

É como dizia aquele adolescente
para a sua mãe:
– Não vou estudar porra nenhuma. Eu não
quero ser médico, quero ser presidente!

PERFUME

(A garota para o vendedor da loja de perfumes)
– Esse perfume que o senhor me vendeu é uma merda. Precisa ver a porcaria de homem que ele atraiu!

FÍSICA

É como dizia Einstein:
"Minha mulher tem um belo físico".

CITAÇÃO BÍBLICA

Quem confere ferro,
Com ferro será conferido.

"PEIDORRARIA"

Nunca segure o peido
Que peidar não é desprezo
Muita gente tem morrido
Por manter o peido preso.

Todos peidam neste mundo
Todos peidam até demais
Porque o peido é que nem filho
Só aguenta mesmo quem faz.

Peida o rei, peida a rainha
Peida o padre e o sacristão
Até a moça bonitinha
Deu um puta dum peidão.

Feliz é o bicho gambá
Que fede mais que um chiqueiro
Pode peidar à vontade
Que não vai sentir o cheiro!

VERSOGRAFIA

Sogra e mandioca
preste atenção
só dão resultado
embaixo do chão.

VIRGINDADE

Moça virgem é que nem feijoada em lata, tem que ser comida dentro do prazo se não estraga.

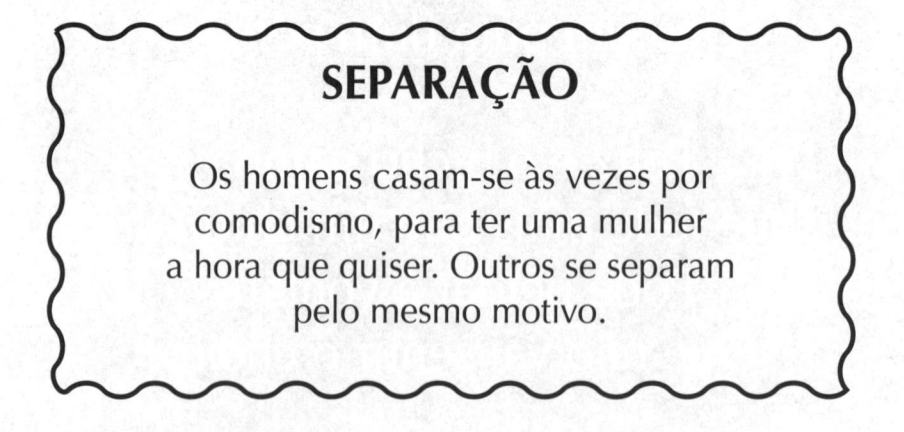

SEPARAÇÃO

Os homens casam-se às vezes por comodismo, para ter uma mulher a hora que quiser. Outros se separam pelo mesmo motivo.

LATIM

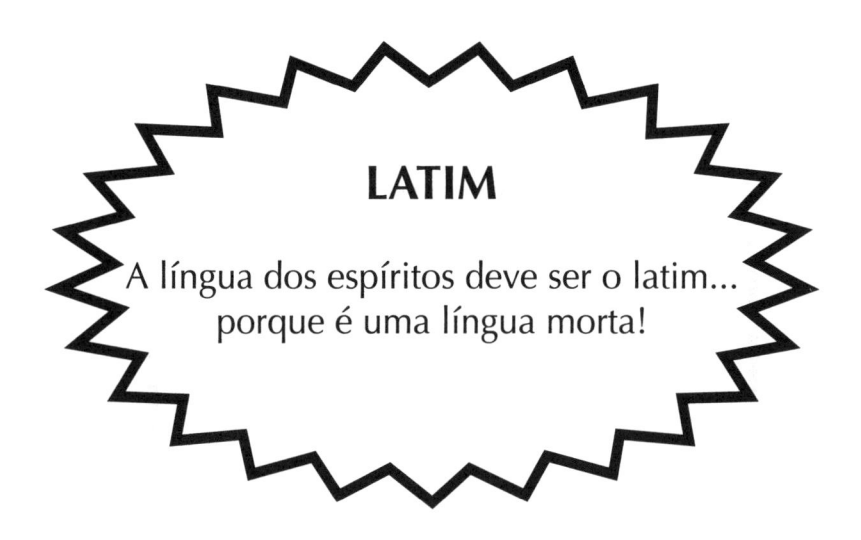

A língua dos espíritos deve ser o latim... porque é uma língua morta!

DOENÇA

A saúde em greve.

DOR

Pior que uma girafa com dor de garganta é uma centopeia com dor nas pernas.

Não adianta piscar que
eu não volto mais.

ESPETÁCULO

Aquela mulher tinha nos olhos o espetáculo mais lindo que a natureza já criou: cataratas.

TOLICE

Quem é mais tolo?
Quem carrega nos dedos uma aliança ou um cigarro?

Mulher feia e cheque sem fundo eu protesto!

PERGUNTINHA

Por que a cidade se chama Volta Redonda? Existe Volta Quadrada?

OBESIDADE

Se todas as pessoas fossem gordas, o mundo seria mais unido!

INTELIGÊNCIA

O que seria dos ignorantes se não existissem os inteligentes?

MUNDO

Se o mundo fosse bom
o dono dele morava aqui.

CALVÍCIE

A PROVA DO FRACASSO DOS DERMATOLOGISTAS.

PERGUNTINHA

O pato afoga o ganso?

IDADE

Uma mulher de 80 casar com um jovem de 20 não é mais ridículo que um homem de 90 casar com uma mulher de 80.

PRISÃO

As alianças e as algemas têm a mesma finalidade: "prender as pessoas".

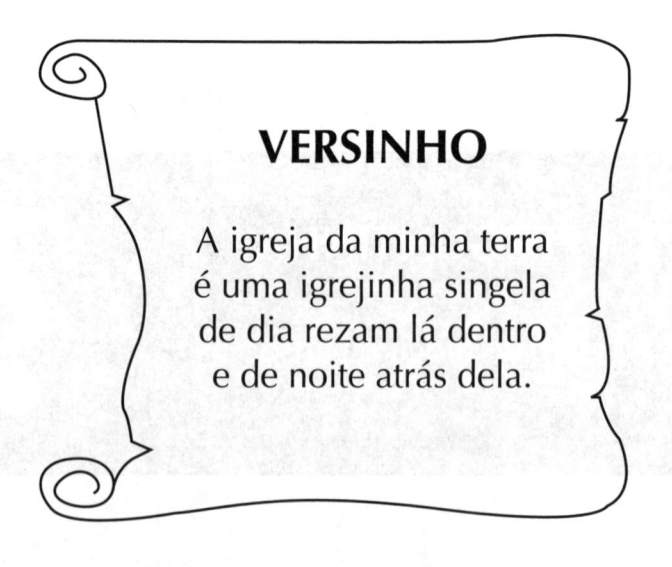

VERSINHO

A igreja da minha terra
é uma igrejinha singela
de dia rezam lá dentro
e de noite atrás dela.

MULHER FEIA

A mulher era tão feia que quando alguém dizia "Durma com Deus", ouvia-se um trovão no céu.

PERGUNTINHA ESTÚPIDA ?

Porque o bicho preguiça tem poucos filhos?

Esposa é igual trator, boa pra trabalhar, mas terrível pra passear!

TREPADA

A melhor trepada que existe é a "mágica".
Você come a mulher e em seguida
ela desaparece

GOLAÇO

É qualquer gol, feito por qualquer jogador do nosso time.

VERDADE

Muitas pessoas vieram ao mundo sem passar pelo Controle de Qualidade.

VELHO DITADO

É "dando" que se "concebe"!

SIMILARIDADE

Bomba e Camisinha têm algo em comum.
A primeira quando estoura morre gente,
a segunda quando estoura nasce gente.

RATOEIRA

Um gato que não gosta de caminhar.

FUDIDO

Quando o cara comentou com o amigo:
– Tô fodido. Lá vem minha mulher e minha amante, juntas. O outro respondeu:
– Cara, você me tirou as palavras da boca.

EJACULAÇÃO

O brasileiro quando quer faz coisas rapidamente. Uma vez fui numa conferência sobre ejaculação precoce, cheguei 10 minutos adiantado e já tinha acabado!

VELHO DITADO

Se buceta enjoasse ginecologista não fazia filhos.

SOLUÇÃO

Se o seu salário é uma merda... deposite-o no Banco de Boston.

MENSTRUAÇÃO

Novo apelido do salário mínimo:
vem no dia certo, mas em cinco dias acaba tudo.
Isso quando não atrasa pra dar um
susto filho da puta nas mulheres.

VIRGINDADE

Virgem, hoje em dia, é uma garota de
12 anos, porém feia, feia, muito feia.

UISQUISITO

Quando for comprar uísque no Paraguai, chacoalhe bem a garrafa antes. Se tocar Galopeira pode comprar que é legítimo.

RECESSÃO

A situação está tão feia que gente que nunca pagou não está comprando.

PROFUNDIDADE

Tem certas pessoas que a coisa mais profunda nelas é o sono.

VELHO DITADO

Rio que tem piranha, macaco toma água de canudinho.

DIÁLOGO

Não gosto de falar comigo mesmo, sou muito mentiroso.

POLÍTICA

Na próxima eleição faça um político trabalhar... não vote nele!

MEU TEMPO

Sou do tempo que respeito
pelos pais a gente tinha
do tempo em que as mulheres
passeavam de sombrinha
e pra brincar o carnaval
não se usava camisinha.

CANIBALISMO

E quando o canibal foi pedir a mão da moça em casamento, não levou a aliança, levou o facão.

ATEÍSMO

E no auge da discussão, o ateu lascou: — Pelo amor de Deus, vou falar pela última vez, Deus não existe!

Uma vez neste local
caguei cagalhão tão grosso
que tive até a impressão
de ter cagado o pescoço.

PEIDO

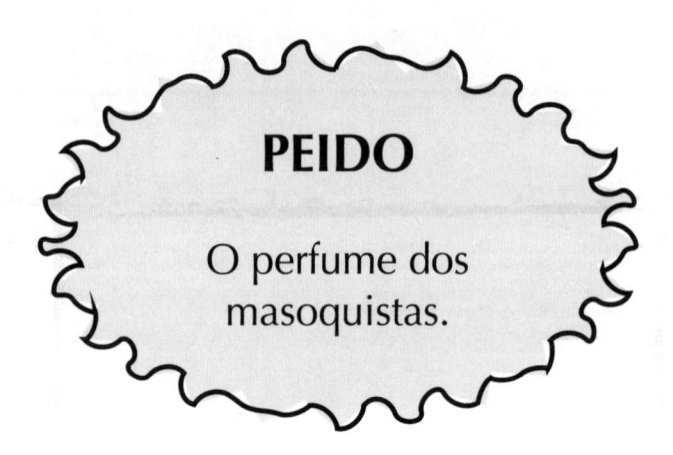

O perfume dos masoquistas.

TER TUDO

Não tenho tudo que amo, mas o muambeiro prometeu arrumar.

PRIVILÉGIO

Paulistano é um privilegiado, acorda sempre com o barulho dos passarinhos... "tossindo"!

BENFEITO

Quem escolhe o magistério como profissão merece mesmo ser professor!

DEFEITO

Explicação da garota gostosa que não quis casar com o velho milionário: "Ele tinha um defeito grave: saúde perfeita".

SEMELHANÇAS

A SEMELHANÇA ENTRE O PILOTO DE AVIÃO E O GINECOLOGISTA É QUE OS DOIS TÊM DE EXAMINAR OS APARELHOS TODOS OS DIAS.

VERDADE VERDADEIRA

O canibal é o único indivíduo que realmente aprecia o seu semelhante.

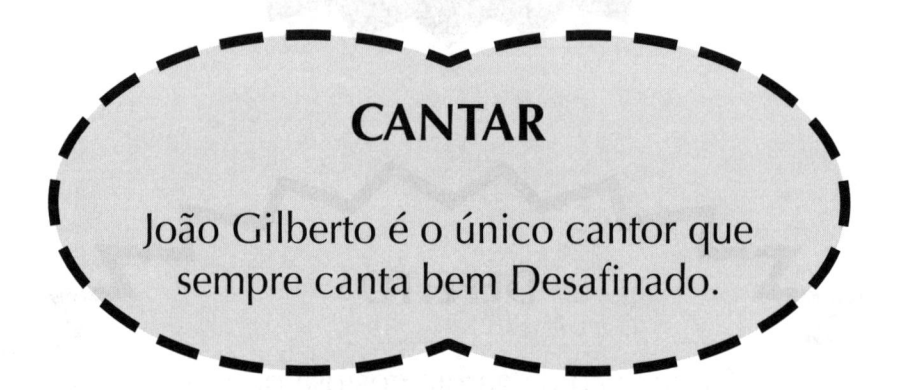

CANTAR

João Gilberto é o único cantor que sempre canta bem Desafinado.

VERSINHO

Os tais de quebra-cabeças fracassaram-se em Lisboa porque cabeça de luso não se quebra assim à toa.

Neste pequeno espaço
onde a vaidade se acaba,
todo covarde faz força
e todo valente se caga.

BATISMO

Os crentes são as pessoas que mais rapidamente aprendem a nadar.

VERDADE

Só existem duas palavras que abrem muitas portas: EMPURRE e PUXE.

ARY E MARLY

Quando perguntei à Marly o que ela descobriu em mim quando me viu pela primeira vez, ela respondeu:
– Descobri que eu era míope.

AVISO

Pra você que acabou de ler este livro, vou logo avisando:
– Prefiro o falso elogio, do que a crítica construtiva.

MENSAGEM FINAL

Você foi um herói.
Conseguiu ler este livro até o fim.
Tudo não passou de filosofias, gozações,
ironias, sarcasmos, lendas e mentirinhas...
A única verdade deste livro é o seu preço,
estampado no código de barras.

THE FIM

INFORMAÇÕES SOBRE NOSSAS PUBLICAÇÕES
E ÚLTIMOS LANÇAMENTOS

Cadastre-se no site:

www.novoseculo.com.br

e receba mensalmente nosso boletim eletrônico

novo século®